ENTRE EL ORO Y LA FE:
EL DILEMA DE AMÉRICA

LUIS N. RIVERA PAGÁN

ENTRE EL ORO Y LA FE:
EL DILEMA DE AMÉRICA

EDITORIAL DE LA UNIVERSIDAD
DE PUERTO RICO

Primera edición, 1995

Catalogación de la Biblioteca del Congreso
Library of Congress Cataloging-in-Publication Data

Rivera Pagán, Luis.

Entre el oro y la fe : el dilema de América / Luis N. Rivera Pagán. — 1. ed.

p.   m.

Includes bibliographical references.

Contents: El descubrimiento y la conquista de América : una empresa misionera imperial — Las Capitulaciones de Burgos : paradigma de las paradojas de la cristianidad colonial — La doctrina de la restitución y la conciencia popular católica española en la conquista de América — La indígena raptada y violada — Un libro significativo — Después de los 500 años, ¿qué?

ISBN 0-8477-0241-3 (pbk.)

1. Latin America—Civilization. 2. Latin America—Discovery and exploration—Spanish. 3. Latin America and exploration—Religious aspects. 4. Catholic Church—Latin America—History—16th. century. 5. Indians, Treatment of—Latin America.
I. Title.

F1408.3.R58   1995

980'.013—dc20

95-23568
CIP

Tipografía: Héctor R. Pérez
Diseño de Portada: Wanda Torres
Dibujo de Portada: "Símbolos precolombinos", Oswaldo Guayasamín

Impreso en los Estados Unidos de América
Manufactured in the United States of America

EDITORIAL DE LA UNIVERSIDAD DE PUERTO RICO
PO Box 23322
San Juan, Puerto Rico 00931-3322

Administración: Tel. (809) 250-0435, FAX (809) 753-9116
Dpto. de Ventas: Tel. (809) 758-8345, FAX (809) 751-8785

Este libro se publica en homenaje a
ANAIDA PASCUAL MORÁN,
mi compañera, digna sucesora de Anacaona,
por tantas cosas...

ÍNDICE

Prefacio

Este libro pretende ser un aporte al análisis de los mitos fundacionales que acompañaron el descubrimiento, la conquista y la cristianización de América. Se compone de seis trabajos surgidos en ocasiones distintas, pero integrados por el interés de bucear en los orígenes de la cultura hispanoamericana. Algunos revelan el contexto erudito de su nacimiento, acompañados por las citas y referencias apropiadas. Otros son más bien alocuciones, conferencias, en las que las referencias bibliográficas están implícitas. He resistido la tentación de introducir alteraciones sustanciales. Aunque cada ensayo es autónomo, su conjunción señala hacia una intención de surcar nuevos rumbos hermenéuticos.

El primer trabajo, "El descubrimiento y la conquista de América: una empresa misionera imperial", esboza mis tesis principales sobre los eventos en cuestión, especialmente la concepción del descubrimiento como una toma de posesión de tierras y pueblos impulsada por una mentalidad en la que predominan ideologías religiosas. De esta manera el inicio de la modernidad se reviste de imaginería religiosa. La inicial expansión imperial y acumulación capitalista necesita todavía invocar al reino de los cielos. Esa es su esencial paradoja.

El segundo, "Las Capitulaciones de Burgos: paradigma de las paradojas de la cristiandad colonial", es una reflexión crítica sobre el establecimiento del episcopado hispanoamericano por la corte de Fernando el Católico. Analiza el contexto en que comienza la eclesialización del Nuevo Mundo y las aporías y contradicciones inherentes al conflicto perenne entre la misión evangelizadora y la institucionalización eclesiástica. Ahí encontramos la agonía de la cristiandad colonial.

2

El tercero, "La doctrina de la restitución y la conciencia popular católica española en la conquista de América", es de naturaleza histórico-teológica y analiza un tema concreto, la función de la doctrina sacramental penitencial en el contexto de las batallas ideológicas del siglo dieciséis. Protagonistas tan dispares como Hernán Cortés, Bartolomé de las Casas y José de Acosta invocan la doctrina de la restitución con finalidades muy distintas, en medio de la pugna espiritual que acompañó las batallas militares entre europeos y nativos americanos, en el siglo dieciséis.

El cuarto, "La indígena raptada y violada", toca un asunto muy evadido, pero central, la conquista erótica de la mujer indígena. La gran mayoría, con honrosas excepciones, de los estudiosos del descubrimiento y la conquista de América han sido varones, lo cual ha marginado el drama de las protagonistas, sobre todo las nativas. Desde Anacaona hasta Rigoberta Menchú, las mujeres indígenas han aportado un inmenso tributo de sangre y dolor en el altar de Mamón.

El quinto, titulado "Un libro significativo", reproduce la presentación que hice de la sugestiva publicación del amigo y colega Antonio M. Stevens-Arroyo *Cave of the Jagua: The Mythological World of the Taínos*, en el Centro de Estudios Avanzados de Puerto Rico y El Caribe. Es una obra excepcional que, a partir de trabajos anteriores de Ricardo Alegría, José Juan Arrom, Mercedes López Baralt y Jalil Sued Badillo, entre otros, explora las honduras de la vida espiritual de los taínos antillanos.

Por último, el sexto, "Después de los 500 años, ¿qué?", intenta destacar los aportes metodológicos y teóricos que me parecen de valor en toda la avalancha literaria que acompañó a la conmemoración del quinto centenario. La cantidad de obras publicadas fue enorme y la polifonía atonal y discordante de perspectivas fue impresionante. ¿Qué, en mi opinión, permanece después de terminadas las celebraciones, exposiciones, festividades y regatas? La separación del trigo y la paja es tarea ardua, pero indispensable en toda disciplina intelectual.

Son trabajos complementarios de un libro anterior *Evangelización y violencia: la conquista de América*, el cual ha pasado por tres ediciones en español y una en inglés, y cuya intuición central es el predominio de los símbolos, imágenes y conceptos religiosos en la imaginería social de la conquista de América.[1] Recogen mis investigaciones posteriores, motivadas en buena medida por las observaciones que algunos lectores han compartido generosamente. En general, las reacciones han sido positivas y favorables, lo que interpreto como estímulo para una labor más intensa. No ha faltado ciertamente la apreciación crítica, la cual ha sido acogida con beneplácito, pues refleja la natural polifonía de lecturas que acompaña toda auténtica empresa intelectual, sobre todo aquella que se refiere a acontecimientos que incluyen, en sus horizontes históricos, una colosal batalla de espíritus.

El título del libro, *Entre el oro y la fe*, pretende ser una síntesis de la empresa colombina. Quienes entienden la aventura náutica de Cristóbal Colón exclusivamente en el contexto de la acumulación de metales preciosos para financiar el temprano desarrollo capitalista atinan sólo parcialmente; lo mismo les sucede a quienes recalcan unilateralmente las visiones apocalípticas y de evangelización del ecúmeno que gradualmente se apoderan de la mente del Almirante. La simultánea búsqueda febril de riquezas y de la salvación de las almas infieles es probablemente la clave para entender la pasión del audaz ligur por surcar los mares. Lo refleja su enigmática frase, cuando al final de su triste cuarto viaje, perdido en Jamaica y, fiel a su siempre equivocada cosmografía, pensaba estar próximo a las legendarias minas áureas del rey Salomón y exclama: "El oro es excelentíssimo; del oro se hace tesoro, y con él, quien lo tiene, haçe cuanto quiere en el mundo, y llega a que echa las ánimas al Paraíso".[2] Esas minas habían producido, así rezaba la leyenda medieval, el oro del templo de Salomón; Colón espera recuperarlas para usar su oculto tesoro en la conversión de todo el orbe, la recuperación de la tierra santa por la cristiandad y la preparación global del fin apocalíptico de la historia.

---

[1] *Evangelización y violencia: la conquista de América* (San Juan: Ediciones Cemí, 1990, 1991 y 1992); traducido al inglés como *A Violent Evangelism: The Political and Religious Conquest of the Americas* (Louisville, Kentucky: Westminster/ John Knox Press, 1992).

[2] Cristóbal Colón, *Los cuatro viajes. Testamento*, Consuelo Varela, Ed. (Madrid: Alianza Editorial, 1986) 292.

Entre el oro y la fe se cristianizó América; entre el oro y la fe murieron unos pueblos, entristecidos por el aniquilamiento de su cultura y sus hábitos ancestrales; entre el oro y la fe nació también el pueblo latinoamericano, con sus mestizajes étnicos y culturales, sus dolores y esperanzas. Ese es el dilema de América.

Son muchas las personas que han contribuido al nacimiento de este libro. Sin intenciones de menoscabar otras profundas deudas, deseo destacar tres colegas y amigos cuyo diálogo continuo fertiliza mis preguntas permanentes y respuestas provisionales, Samuel Silva Gotay, Antonio M. Stevens-Arroyo y Jalil Sued Badillo. Sus aportaciones intelectuales a la comprensión del origen y el desarrollo del pensamiento hispanoamericano y puertorriqueño son sustanciales y significativas. Su amistad es valiosa y estimada. Mi reconocimiento a Dalidia Colón, Gloria Madrazo y a José R. de la Torre, Director de la Editorial de la Universidad de Puerto Rico, quienes han respaldado esta publicación.

El libro se dedica a Anaida Pascual Morán, mi compañera de una década, cuya continua lectura crítica ha nutrido el desarrollo de mis investigaciones y publicaciones. Su talante y ánimo me trae a la memoria el carácter valiente de la cacique dominicana Anacaona, a quien el gobernador Nicolás de Ovando y sus hombres, de acuerdo al doloroso relato de Bartolomé de las Casas, "por hacelle honra, la ahorcaron",[3] a diferencia de los otros principales nativos que la acompañaban, a quienes, sin misericordia, encerraron en un caney y procedieron a quemar vivos. También Anaida conoce el dolor, que refleja en sus poemas clandestinos, de pertenecer a un pueblo subyugado por más de un imperio, pero que, rebelde, afirma su propio ser y el de sus futuras generaciones.

---

[3] Bartolomé de las Casas, *Historia de las Indias* (México, D. F.: Fondo de Cultura Económica, 1986) l.2, c.9, t.2, p.238.

El descubrimiento y la conquista de America: una empresa misionera imperial*

> *En treinta y tres días pasé a las Indias con la armada que los illustríssimos Rey e Reina, Nuestros Señores, me dieron, donde yo fallé muy muchas islas pobladas con gente sin número, y d'ellas todas he tomado posesión por sus Altezas con pregón y vandera real estendida.*
>
> Cristóbal Colón (1493)

La mitología del descubrimiento

Iberoamérica conmemoró con bríos el quinto centenario del descubrimiento de América. La efemérides motivó una avalancha de artículos, ensayos y libros, y un intenso debate sobre su significado. Algunas intervenciones, como era de esperarse, fueron laudatorias, congratulatorias del "encuentro entre las culturas europeas y americanas" como un evento histórico trascendental progenitor de un nuevo mundo, una nueva cultura y una nueva forma de existir la cristiandad occidental. Otras utilizaron la ocasión para replantear de raíz los traumáticos orígenes de la cultura hispanoamericana.[1]

---

* Versiones previas de este trabajo se publicaron en la *Revista de Estudios Generales* (Universidad de Puerto Rico, Recinto de Río Piedras), 7.7 (julio 1992-junio 1993): 13-37; *Casabe* (Revista puertorriqueña de teología) 4 (agosto 1992): 11-27; *Pasos* (Departamento Ecuménico de Investigaciones, San José, Costa Rica), segunda época, 41 (mayo-junio de 1992): 1-10; *Apuntes* (Perkins School of Theology, Southern Methodist University, Dallas, Texas), 9.4 (Invierno 1989):75-92; y, el *Boletín de antropología americana* (Instituto Panamericano de Geografía e Historia, México, D. F.), 20 (diciembre 1989): 83-98.

[1] Juan A. Ortega y Medina, *La idea colombina del descubrimiento desde México (1836-1986)* (México, D. F.: UNAM, 1987) 127-171.

¿Se trató realmente de un descubrimiento? Sólo si adoptamos la perspectiva histórica provincial de la cristiandad, enclaustrada en el continente europeo, a fines del siglo decimoquinto. Este concepto, sin embargo, es problemático ya que los territorios a los que arribaron los españoles habían sido encontrados y poblados siglos antes. Las naves que llegaron, el 12 de octubre de 1492, a Guanahaní no encontraron una isla desierta. Seguir hablando de descubrimiento, en sentido absoluto y trascendental, supondría la inexistencia previa de historia humana y cultural en las tierras encontradas. Algo absurdo y revelador de arraigado y anacrónico etnocentrismo.

Además, todo el proceso está matizado por la sublime ironía de que Cristóbal Colón llegó a donde no pretendía y no alcanzó lo que realmente buscaba.[2] Su intención la describe Bartolomé de Las Casas: "Por aquel camino entendía toparse con tierra de la India, y con la gran isla de Cipango y los reinos del Gran Khan...".[3] Jamás el Almirante entendió la verdadera naturaleza de su famoso *descubrimiento*. Hasta el fin de sus días, en 1506, se aferró obsesivamente a la noción, dependiente de una deficiente cosmografía, del carácter asiático de sus hallazgos.[4] Colón "se muere creyendo haber alcanzado su sueño... navegar de Europa a la India".[5] Nunca tuvo una idea precisa de lo que había encontrado. Las tierras que halló, y sus habitantes, se mezclaron confusamente con sus fantasías, mitos, utopías, ambiciones y febril providencialismo mesiánico.

Es absurdo festejar un evento que en la mente de su principal protagonista revistió un significado sustancialmente diferente a lo que ocurrió. Se desembocaría en la extraña condición de celebrar una colosal incoherencia entre evento y conciencia, realidad e

---

[2] Beatriz Pastor, *Discurso narrativo de la conquista de América* (La Habana: Casa de las Américas, 1984) 17-109.

[3] *Historia de las Indias* (México, D. F.: Fondo de Cultura Económica), 1986, l.1, c.28, t.1, p.174 (en adelante *H.I.*).

[4] Carl Ortwin Sauer, *Descubrimiento y dominación española del Caribe* (México, D. F.: Fondo de Cultura Económica, 1984) 216-222.

[5] Consuelo Varela, "Prólogo", a Cristóbal Colón, *Textos y documentos completos: Relaciones de viajes, cartas y memoriales* (ed. de Consuelo Varela) (Madrid: Alianza Editorial, 1982) xxiii.

interpretación, lo que Consuelo Varela ha catalogado de "claro desajuste entre la capacidad cognoscitiva [de Colón] y el mundo circundante".[6] Esa disparidad entre la realidad y la percepción colombina aumentó con el tiempo, como lo demuestra su creencia de dirigirse hacia el lugar de procedencia de uno de los reyes magos,[7] su posterior teoría de encontrarse muy cerca del paraíso terrenal del *Génesis* bíblico (por eso nomina al continente suramericano *Isla de Gracia*),[8] su febril carta escrita en julio de 1503, perdido en Jamaica, en la que reitera la hipótesis de la cercanía del Edén y asevera estar próximo a las legendarias minas de donde el rey Salomón obtuviese el oro para edificar el templo,[9] y su insistencia en el carácter peninsular, y, por tanto, de tierra firme asiática, de Cuba.[10]

Monumento indeleble a la incoherencia de la tesis del *descubrimiento* es el que las tierras supuestamente descubiertas por Colón no se nominaron en su honor, sino en el de quien por primera vez las concibió como *mundus novus* o Nuevo Mundo: Américo Vespucio. Lo que dice Vespucio, en carta aparentemente escrita en 1503, es lo siguiente:

> Es lícito llamarlo un *nuevo mundo [novum mundum]*. Ninguna de estas regiones fueron conocidas por nuestros antecesores, y para todos los que se enteren será algo novísimo. La opinión de la mayoría de los antiguos era que allende la línea equinoccial y hacia el meridiano no había tierra, sino mar,

---

6 Consuelo Varela, "Prólogo" xxxii.

7 Miguel de Cuneo, "Carta de Miguel Cuneo", *Revista de la Universidad de La Habana*, 196-197 (1972): 279.

8 Cristóbal Colón, *Los cuatro viajes. Testamento* (ed. de Consuelo Varela) (Madrid: Alianza Editorial, 1986) 238-247.

9 Cristobal Colón, *Los cuatro viajes* 292-293.

10 Uno de los documentos colombinos más interesantes es la declaración jurada a la que obliga a su tripulación del carácter peninsular de Cuba. Se da cuenta que los nativos insisten que es una isla, pero, ¿cómo hacer caso de "gente desnuda que no tiene bienes propios... y son gente que no tienen ley ni se[c]ta alguna, salvo nacer y morir, ni tienen ninguna policia porque puedan saber del mundo?" Martín Fernández de Navarrete, *Colección de los viages y descubrimientos que hicieron por mar los españoles, desde fines del s. XV*, v.II (Buenos Aires: Editorial Guarania, 1945) 172-173. Cf. Georg Friederici, *El carácter del descubrimiento y de la conquista de América: Introducción a la historia de la colonización de América por los pueblos del Viejo Mundo* (Original alemán de 1925), v.I (México, D. F.: Fondo de Cultura Económica, 1986) 269-270.

8

que llamaban Atlántico; y si alguno afirmaba haber ahí algún continente, argumentaba con diversas razones que debía estar inhabitado. Pero esta opinión es falsa y opuesta a la verdad... pues he encontrado un continente en esa parte meridional, más poblado y lleno de animales que Europa, Asia o África...[11]

Fue ésta la primera vez que se identificaron las tierras encontradas como un Nuevo Mundo, un cuarto continente distinto a los tres ya conocidos. En 1507, la cartografía de Martín Hylacomilus Waldseemüller, incluida en el texto científico *Cosmographiae introductio*, inscribe por primera vez, a manera de sugerencia, el nombre de *América* para las tierras encontradas: "Et alia quarta pars per Americo Vesputium... inventa est, quam non video cur iure vetet ab Americo inventore quasi Americi terram, sive Americam dicendam..." ("Y la otra cuarta parte del mundo fue descubierta por Américo Vespucio, por los cual no veo que se pueda vedar el llamarle Amériga o América, ya que Américo descubrió...").[12]

Poca gracia hizo a muchos cronistas y políticos españoles la popularidad del toponimio *América*, adoptado inicialmente en los países no hispanos y durante siglos resistido por los castellanos, que se aferraron al término "Indias", a pesar de que temprano en el siglo dieciséis el jurista Juan López de Palacios Rubios, había indicado su incorrección: "El vulgo, en su ignorancia, llama Indias a dichas Islas. No son Indias, sin embargo...".[13] Incluso Las Casas protestó: "Se le usurpó lo que era suyo, al Almirante D. Cristóbal Colón... cómo le pertenecía más a él, que se llamara la dicha [tierra] firme Columba, de Colón, o Columbo que la descubrió... que no de Américo denominarla América".[14] No parece darse

---

[11] Carta titulada "Mundus Novus" (según la primera edición latina de 1504, en Augsburgo). Reproducida en Henry Vignaud, *Americ Vespuce, 1451-1512* (Paris: Ernest Leroux, Éditeur, 1917) 305 (Énfasis añadido, mi traducción).

[12] *Cosmographiae introductio*, 1507: 30. Cf. Carlos Sanz, *El nombre América: Libros y mapas que lo impusieron* (Madrid: Librería Victoriano Suárez, 1959) 31-33, y Francisco Esteve Barba, *Historiografía indiana* (Madrid: Gredos, 1964) 42.

[13] *De las islas del mar océano* (tr. Agustín Millares Carlo) (México, D. F.: Fondo de Cultura Económica, 1954) 6.

[14] *H.I.*, l.1, c.139, t.2, p.40.

cuenta de que el elemento crucial no fue quien llegó primero, sino quien la concibió inicialmente como un continente distinto al medieval triádico *orbis terrarum* Europa-África-Asia. Al hacerlo, Vespucio contribuyó a estimular la imaginación utópica europea. Desde *Utopía* de Tomás Moro (1515) hasta *La ciudad del Sol* (1623), de Tomás Campanella, la fantasía europea soñadora de estilos ideales de existencia, fue provocada por la concepción de América como un *nuevo mundo*.[15]

El descubrimiento como posesión

No hubo de parte de Colón, ni de sus sucesores, acto alguno de *descubrir nuevas tierras* que no estuviese acompañado de otro distinto, de significativa naturaleza jurídica: su *toma de posesión*. El 15 de febrero de 1493, escribe el Almirante: "En treinta y tres días pasé a las Indias con la armada que los illustríssimos Rey e Reina, Nuestros Señores, me dieron, donde yo fallé muy muchas islas pobladas con gente sin número, y *d'ellas todas he tomado posesión* por sus Altezas con pregón y vandera real estendida".[16]

En su diario, Colón describe la toma de posesión de la primera isla encontrada, Guanahaní/San Salvador. A dos escribanos que le acompañaron "dixo que le diesen por fe y testimonio cómo él ante todos tomava, como de hecho tomó, possessión de la dicha isla por el Rey e por la Reina sus señores...".[17]

Descubrir y *tomar posesión* se convierten en actos concurrentes. La historiografía tradicional destaca lo acontecido el 12 de octubre de 1492 como un *descubrimiento*, eludiendo lo central en él. El encuentro entre europeos y nativos americanos es, en realidad, un ejercicio de *poder*. Es un evento en que los primeros se a-*poder*-an de los segundos, sus tierras y personas. Francisco de Vitoria lo expresa así, al iniciar su relección teológica *De indis* (1538): "Toda esta controversia... ha sido tomada por causa de esos bárbaros del

---

[15] Henri Baudet, *Paradise on Earth: Some Thoughts on European Images of Non-European Man* (New Haven and London: Yale University Press, 1965).

[16] *Textos* 140 (énfasis añadido).

[17] Cristóbal Colón, *Los cuatro viajes* 62.

Nuevo Mundo, vulgarmente llamados indios, que... hace cuarenta años han venido a *poder* de los españoles".[18]

El acto, pleno de simbolismo, pero de naturaleza jurídica, que realiza Colón, "d'ellas todas he tomado posesión por sus Altezas con pregón y vandera real estendida", no lo entienden inicialmente los antillanos. Eso no es problema; en realidad, el Almirante no se dirige a ellos. La toma de posesión, como acto público y registrado oficialmente ante un escribano, tiene como interlocutores reconocidos a los otros príncipes cristianos europeos. Se trata de dejar sentado que las tierras ya tienen dueño y que ningún otro soberano occidental tiene derecho a reclamarlas. Al añadir Colón la expresión "y non me fue contradicho", no se refiere a los caudillos indígenas, éstos no tienen la menor idea de lo que sucede, sino a posibles competidores europeos.

Como símbolo de la toma de posesión, Colón pone cruces en lugares estratégicos. "Y en todas las tierras adonde los navíos de Vuestras Altezas van y en todo cabo mando plantar una alta cruz...".[19] En La Española, por ejemplo: "Puso una gran cruz a la entrada del puerto... en un alto muy vistoso, en señal que Vuestras Altezas tienen la tierra por suya, y principalmente por señal de Jesucristo Nuestro Señor y honra de la cristiandad...".[20] Las cruces tienen una doble referencia: el territorio así marcado pertenece, desde entonces, a la cristiandad[21] y es propiedad, específicamente, de los Reyes Católicos. Colón aclara la condición de la toma de posesión: "porque fasta allí no tiene ninguna posesión prínçipe cristiano de tierra ni de isla...".[22]

Francisco Morales Padrón, uno de los pocos historiadores hispanos en reconocer la importancia central de la toma de posesión

---

[18] *Obras de Francisco de Vitoria: Relecciones teológicas. Edición crítica del texto latino, versión española, introducción general e introducciones con el estudio de su doctrina teológico-jurídica* (ed. Teófilo Urdanoz, O.P.) (Madrid: Biblioteca de Autores Cristianos, 1960) 642 (Énfasis añadido).

[19] *Los cuatro viajes* 245.

[20] *Los cuatro viajes* 124-125.

[21] Manuel Servin, "Religious Aspects of Symbolic Acts of Sovereignty", *The Americas* 13 (1957): 255-267.

[22] *Textos* 174.

como "fenómeno que está íntimamente ligado al descubrimiento, un acto que seguía inmediatamente al hallazgo", capta cabalmente el significado del acto: "La toma de posesión se realizaba porque las Indias se consideraban *res nullius* y Colón las gana e incorpora *non per bellum*, sino *per adquisitionem*, tomando posesión en nombre de los Reyes Católicos para que ningún otro pueblo cristiano se aposentase en ellas, puesto que *vacabant dominia universali jurisdictio non posesse in paganis* y por esta razón el que tomase posesión de ellas sería su señor".[23] Debe, sin embargo, aclararse que si los *paganos* de las tierras *res nullius* (pertenecientes a nadie) estaban dispuestos a cuestionar la toma de posesión *per adquisitionem* (por medios jurídicos), Colón y los castellanos no tendrían, como no lo tuvieron, ningún escrúpulo en ratificarla *per bellum* (militarmente).

Décadas más tarde, esta premisa de la incapacidad de los infieles de ser sujetos de la facultad universal de dominio y jurisdicción se cuestionaría, por teólogos en la tradición tomista (Cayetano, Las Casas y Vitoria). Pero inicialmente, en la mentalidad prevaleciente del *orbis christianus*, la soberanía territorial se concibió como atributo exclusivo de los seguidores de quien paradójicamente había afirmado su pobreza radical aun en comparación con los zorros y las palomas. Las tierras de los infieles se miraban como *res nullius*, propiedad de nadie.

La toma colombina de posesión no es un acto arbitrario. Se erige sobre las instrucciones que recibe Colón de los Reyes Católicos. El 30 de abril de 1492, desde Granada, las expiden Isabel y Fernando, en un documento que amplía y aclara las anteriores Capitulaciones de Santa Fe (17 de abril). En él, todas las veces que aparece el verbo *descubrir* (7 ocasiones) se acompaña de otro: *ganar*. "Por cuanto vos Cristóbal Colón vades por nuestro mandado á *descobrir é ganar*... ciertas Islas, é Tierra-firme en la dicha mar Océana... despues que hayades descubierto, é *ganáredes*... así descubriéredes é *ganáredes*...".

23 *Teoría y leyes de la conquista* (Madrid: Ediciones Cultura Hispánica, 1979) 133-134.

Sólo en una ocasión se separan ambos vocablos. Pero el que desaparece es *descubrir*, conjugándose *ganar* con *conquistar*: "De los que vos conquistáredes é ganáredes...".[24] Posteriormente (23 de abril de 1497), al reaccionar ante los actos de *descubrir/tomar posesión*, confirman su intención original de expansión e identifican el *descubrir* con *traer á nuestro poder*: "Los muchos é buenos é leales é señalados é continuos servicios que vos el dicho D. Cristóbal Colón, nuestro Almirante... nos habedes fecho, é esperamos que nos fagais, especialmente en descobrir é traer á nuestro *poder*, é... señorío á las dichas islas e tierra-firme...".[25]

El próximo acto de Colón, parte sustancial del descubrir/apoderarse de las islas encontradas, es ponerles nombre: "A la primera que yo fallé puse nonbre Sant Salvador a comemoración de su Alta Magestat... A la segunda puse nonbre la isla de Santa María de Concepción; a la tercera Fernandina; a la cuarta la Isabela; a la quinta Juana, é así a cada una nonbre nuevo".[26]

El nombrar las islas tiene reminiscencias bíblicas. En el *Génesis* (2:19-20), la autoridad del ser humano primigenio, Adán, sobre los demás seres de la creación se expresa en su facultad para ponerles nombre. El nombrar es atributo del dominar, máxima manifestación del señorío universal del ser humano. En la tradición cristiana, por otro lado, se unen el sacramento del bautismo y la renominación. Cuando se bautizaba un adulto, se cambiaba su nombre. Dejaba el pagano y adoptaba uno nuevo, cristiano. Ese cambio —un ejemplo eminente, de Saulo a Pablo— simbolizaba una transformación profunda del ser, una nueva personalidad.

En el caso de Colón, el asunto se complica, pues las islas ya tenían nombre. De San Salvador, por ejemplo, dice que "los indios la llaman Guanahaní". El acto de renominarla tiene una oculta, al menos para los nativos, dimensión potencialmente siniestra. Conlleva una expropiación; la negación de la autoridad de los actuales

---

[24] Fernández de Navarrete, *Colección de los viages y descubrimientos* v. II: 18-21.
[25] Fernández de Navarrete, *Colección* 228 (Énfasis añadido).
[26] *Textos* 140.

pobladores para nombrar la tierra que habitan y, por ende, po-
seerla. Son bautizadas y denominadas por el europeo, acto en el
que los nativos carecen de todo protagonismo.

Miguel de Cuneo, acompañante de Colón durante su segundo
viaje, adquiere una isla como regalo del Almirante y procede a
posesionarla y bautizarla: "El señor Almirante... me la regaló; y
según modos y fórmulas convenientes tomé posesión de ella, como
hacía el señor Almirante... y planté la Cruz... y en nombre de Dios
la bauticé con el nombre de la Bella Savonense... Hay allí 37 case-
ríos con 30,000 habitantes por lo menos...".[27]

La citada carta colombina de febrero de 1493, que pasó por
sucesivas ediciones en castellano, latín y otros idiomas, fue, en
buena medida, responsable de la renominación de los seres encontrados como *indios*, un gentilicio que no les correspondía y que,
en realidad, encubría más que descubría su ser. La primera agre-
sión a los americanos nativos fue negarles su identidad propia,
llamándoles *indios*.

Se trata de una invención, como asevera Edmundo O'Gorman;
pero hay que precisar con mayor tino.[28] El vocablo latino *invenio*,
descubrir, es también la raíz semántica de *inventio*, inventar. Lo
significativo, sin embargo, es indicar su grave implicación conceptual: las tierras y los seres encontrados se consideran posesión; se
les ha impuesto el vasallaje, por considerárseles desprovistos de
protagonismo histórico. Desde Cristóbal Colón (1492) hasta José
de Acosta (1589) predomina en el pensamiento español, con meri-
torias pero escasas excepciones, la idea de que "todos los bárbaros
que en nuestra edad han sido descubiertos por los españoles y
portugueses... desconocen la policía humana" [la racionalidad
política].[29]

27 "Carta de Miguel Cuneo" 277.
28 *La invención de América: Investigación acerca de la estructura histórica del Nuevo Mundo y del sentido de su devenir* (México, D. F.: Fondo de Cultura Económica, 1984).
29 José de Acosta, *De procuranda indorum salute* (1589) (Madrid: Consejo Superior de Investigaciones Científicas, 1952) 45.

14

Con plena confianza en su autoridad jurídica, por la infidelidad de los nativos, escribe Colón a la corona desde La Española y
le notifica algo que aún no saben sus habitantes: "Hombres y
mugeres son todos de Vuestras Altezas, así d'esta isla en especial
como de las otras".[30] La exacta naturaleza del vasallaje indiano
será motivo de enconadas disputas. Indiquemos una posibilidad
que el Almirante se apresta a sugerir: la *esclavitud*: "Pueden ver Sus
Altezas que yo les daré... esclavos cuantos mandaran cargar...".[31]

En lo que la corona, en consulta con teólogos y letrados, decide acerca de esa recomendación, Colón pone en práctica la toma
de posesión que ha efectuado, *apoder*ándose de algunos nativos.
Igual apoderamiento hace con lo más interesante de la fauna y
flora de las tierras encontradas y apropiadas. Lleva a la Europa
fascinada y perpleja las muestras del Nuevo Mundo del que ha
tomado posesión: especies, frutas, flores exóticas, papagayos e
indígenas. Esto último escandalizó la conciencia cristiana de
Bartolomé de las Casas: "Lo hacía el Almirante sin escrúpulo,
como otras muchas veces en el primer viaje lo hizo, no le parecien-
do que era injusticia y ofensa de Dios y del prójimo llevar los
hombres libres contra su voluntad...".[32]

Las Casas indica que los conquistadores acostumbraban
renominar a los nativos, especialmente a los prominentes ("así lo
tenían de costumbre los españoles, dando los nombres que se les
antojaban de cristianos a cualesquiera indios...").[33] Juan Ponce de
León, al comenzar la colonización de Boriquén, se sintió con autoridad de cambiar los nombres del principal cacique, Agüeybaná, y
sus padres. Los así *bautizados* lo consideraron inicialmente un honor; sólo después descubren que se trata de una sutil manifestación del acto de posesión de que han sido objeto. Los indios de
Boriquén, renominada Isla de San Juan Bautista, pagaron caro
con su sangre y sufrimiento su rebeldía. Su renominación no conllevó su transformación, sino su extinción.

---

30 *Los cuatro viajes* 169.
31 *Textos* 145.
32 *H.I.*, l.1, c.134, t.2, p.17.
33 *H.I.*, l.2, c.46, t.2, p.356.

Se toma posesión de las tierras encontradas al considerárselas *terrae nullius* (tierras que a nadie pertenecen), y se las clasifica como tal por no ser propiedad de príncipe cristiano alguno. Ya Immanuel Kant, a fines del siglo dieciocho, fijó su ojo crítico en el concepto del *descubrimiento de América*: "Cuando se descubrió América... se le consideró carente de propietario, pues a sus pobladores se les tuvo por nada".[34] Se les tuvo *por nada* por algo que no aclara Kant: *por no ser cristianos*.

El *orbis christianus* no parecía necesitar de legitimación adicional para expandirse a costa de los infieles.[35] Pedro Mártir de Anglería, miembro del Consejo de Indias, defendió a principios del siglo dieciséis la hegemonía castellana sobre los lugares del Nuevo Mundo "que se hallaren sin habitantes cristianos".[36] La discusión, al avanzar el siglo, se fue haciendo teóricamente más compleja, como lo demuestra el debate entre Juan Ginés de Sepúlveda y Las Casas (1550-1551, en Valladolid), pero el resultado fue el mismo: la supremacía de los europeos cristianos sobre los indígenas *infieles*.

Pero, ¿realmente no pertenecen las tierras encontradas en el *mar Océano* a algún soberano católico? Al retornar de su primer viaje, y antes de llegar a España, Colón tiene una perturbadora entrevista con el rey de Portugal, quien parecía listo a reclamar los territorios encontrados, basándose en el Tratado de Alcaçovas-Toledo (1479-1480), concertado entre ambas naciones ibéricas.[37]

En esa potencialmente conflictiva situación, los Reyes Católicos toman la iniciativa diplomática y acuden a la Santa Sede para que ésta respalde sus títulos de posesión. Obtienen con creces lo que solicitaron. Las bulas *Inter caetera* de Alejandro VI (3/4 de mayo de 1493) autorizan a los Reyes Católicos a apoderarse de las

---

34 "Zum ewigen Frieden" (1795), *Schriften von 1790-1796 von Immanuel Kant* (herausgegeben von A. Buchenau, E. Cassirer, B. Kellermann) (Berlin: Bruno Cassirer, 1914) 444 (mi traducción).

35 Joseph Höffner, *La ética colonial española del siglo de oro: Cristianismo y dignidad humana* (Madrid: Ediciones Cultura Hispánica, 1957).

36 Citado por Silvio A. Zavala, *Las instituciones jurídicas en la conquista de América* (2a. ed.) (México, D. F.: Porrúa, 1971) 36.

37 Morales Padrón, *Teoría y leyes de la conquista* 35-44.

tierras encontradas por sus navegantes y capitanes "siempre que no estén sujetas al actual dominio temporal de algún señor cristiano...; ... que por otro rey o príncipe cristiano no fueren actualmente poseídas...".[38] y revocan cualquier tratado anterior que pudiese interpretarse en sentido divergente. Las llamadas *bulas alejandrinas de donación*, con su famosa fórmula de investidura de soberanía perpetua a los reyes de Castilla sobre las tierras y los pueblos americanos —"donamus, concedemus et assignamus"—, son probablemente los decretos papales de mayor importancia política en la historia de la Santa Sede.[39]

El descubrir europeo de las *Indias* se convirtió, en suma, en un evento de tomar posesión, legitimado por razones y símbolos de orden teológico y religioso. Esto no debe olvidarse al analizar las sublevaciones indígenas. Generalmente se destaca la resistencia a los abusos —violación de mujeres, trabajos forzados, crueldad en el trato, expropiación de tesoros, vejaciones. Todo ello es cierto, pero no debe aislarse de otro elemento agravante: el *vasallaje impuesto*. De buenas a primeras, los habitantes de las tierras se encuentran, sin mediar negociación alguna, en subordinación forzada, se les hace saber, de diversas maneras su carácter de *seres poseídos*. Esa condición, no sólo las instancias particulares de abuso o crueldad, es factor causal de la rebeldía. Se sublevan cuando descubren que la *posesión era* rasgo esencial del *descubrimiento*.

De aquí surge también el cambio sorprendente que detecta Colón en la actitud de los nativos entre el primero y segundo viaje. Si lo que se destaca en el primero es la *hospitalidad*, resalta en el segundo la *hostilidad*. Este cambio, que pone en serio peligro a los españoles parte del reconocimiento de los caciques de que los recién llegados tienen pretensiones de pasar de huéspedes a anfitriones, dueños y señores de sus tierras, haciendas y existencias.

En los primeras narraciones colombinas, abunda una visión idílica de los nativos —son mansos, tímidos, dóciles. Esa percep-

---

[38] Reproducidas como apéndices en Bartolomé de las Casas, *Tratados* (México, D. F.: Fondo de Cultura Económica, 1965) 1279, 1286.

[39] Manuel Giménez Fernández, *Nuevas consideraciones sobre la historia, sentido y valor de las bulas alejandrinas de 1493 referentes a las Indias* (Sevilla: Escuela de Estudios Hispano-Americanos, 1944).

ción cambia después de las primeras rebeliones. La toma de posesión pacífica se convierte pronto en empresa militar subyugadora. En 1499, en la debacle de sus ilusos planes iniciales, escribe a los Reyes Católicos: "Muy altos Príncipes: Cuando yo vine acá, truxe mucha gente para la conquista d'estas tierras... y hablado claro que yo venía a conquistar...".[40] En otra carta posterior, los pacíficos nativos de los primeros relatos —"muestran tanto amor que darían los corazones"[41]— se describen ahora, tras no aceptar el apoderamiento de sus personas, como "gente salvaje, belicosa"[42] y finalmente, tras el fracaso de su última expedición, son tildados de "salvajes y llenos de crueldad y enemigos nuestros".[43]

Las Casas relata que el cacique Mayonabex, aliado y protector del perseguido Guarionex, en una de las primeras confrontaciones en la Española, replica a los castellanos que son "tiranos, que no vienen sino a usurpar las tierras ajenas...".[44] El delito, es el de la usurpación; el *apoder*arse sin consentimiento de tierras y personas provoca la guerra indiana. También los indios de Veragua cambiaron su actitud de hospitalidad a hostilidad al ver que el Almirante tomaba posesión de sus tierras, no sólo por agravios individuales.[45]

Algunos historiadores pretenden distinguir el descubrimiento de la conquista. Según Demetrio Ramos, la conquista como teoría jurídica, como debate acerca de los *títulos legítimos* para arrogarse la soberanía sobre el Nuevo Mundo, surge posteriormente a la conquista como hecho histórico.[46] Al insistir en que ésta no formaba parte de los planes españoles originales y que, en buena medida, fue fruto de aventureros hombres de acción, se pretende

---

40   *Textos* 236-237; cf. Felipe Fernández-Armesto, *Columbus* (Oxford: Oxford University Press, 1991) 150.

41   *Textos* 142.

42   *Textos* 252.

43   *Los cuatro viajes* 296.

44   *H.I.*, l.1, c.120, t.1, p.460.

45   *H.I.*, l.2, c.27, t.2, p.293.

46   Demetrio Ramos, "El hecho de la conquista de América", en Demetrio Ramos *et al.*, *La ética en la conquista de América* (Madrid: Consejo Superior de Investigaciones Científicas, 1984) 17-63.

disculpar a la corona, sin analizar críticamente el que ésta, en toda instancia, avaló los hechos consumados de adquisiciones territoriales armadas, incluyendo empresas en gran medida privadas, como la capitaneada por Hernán Cortés.

Pero, sobre todo, descuida el eje central del proceso: la toma de posesión fue, desde el principio, rasgo esencial del descubrimiento. Al resistir los indígenas su vasallaje impuesto se desencadena la conquista como acto violento y, luego, como teoría de la *dominación lícita*. Al tomarse posesión, unilateralmente, de pueblos políticamente organizados, tal cual eran los aborígenes americanos, inevitablemente se da el primer paso hacia la guerra. Por ello Colón, muy hábilmente anota, en los apuntes y cartas del primer viaje, la precariedad militar de los nativos: "Ellos no tienen fierro ni azero ni armas, ni son para ello...".[47] No es interés etnológico lo que mueve esta observación, sino la astuta mirada de quien prevé las condiciones y posibilidades de control armado.

Del encuentro a la dominación

En el debate sobre el quinto centenario varios interlocutores propusieron cambiar la nomenclatura de celebrar a *conmemorar* el *encuentro entre dos culturas*.[48] Esta reconstrucción semántica no resuelve el problema. Al hablar de *dos culturas* (española e indígena) se menosprecia la rica y compleja diversidad de las naciones y pueblos indígenas. Desde la perspectiva española, los aztecas, incas, mayas y arauacos se uniformizan artificialmente, sin percatarse de la importancia de sus diferencias y distinciones, de la particularidad de sus tradiciones, símbolos, costumbres, idiomas e instituciones.

Roberto Levillier, en reacción a la indiferencia europea, ha recalcado la riqueza y complejidad de las distinciones culturales indígenas: "Variaban las inteligencias, las crueldades y mansedumbres, los tonos de la piel, las lenguas, los ritos y las teogonías...

---

[47] *Textos* 141.

[48] Francisco Miró Quesada C., "V Centenario del descubrimiento: ¿celebración o conmemoración?", *Diálogo* (marzo de 1987): 31.

Ni en su posición jurídica, ni en su aspecto físico, ni en su lengua, ni en sus gustos, ni en sus modalidades, ni en sus capacidades creadoras eran los mismos".[49] Richard Konetzke dramatiza esa amplia diversidad cultural al informar que "se ha verificado la existencia de 133 familias lingüísticas independientes en América...".[50]

Además, se escamotea, al referirse a las dos culturas, la presencia en América, desde temprano en el siglo dieciséis, del negro.[51] Los negros esclavos, inicialmente los ladinos de España, y luego los bozales de África, fueron protagonistas del drama latinoamericano desde sus umbrales. Es punto controvertible entre los especialistas la fecha de la primera entrada de negros esclavos a las tierras encontradas por Colón,[52] pero conocemos la primera instrucción real a tales efectos. Se remite por los Reyes Católicos a Nicolás de Ovando, entonces gobernador de La Española, el 16 de septiembre de 1501, e indica que debían ser ladinos, nacidos en España y cristianos.[53]

Los esclavos negros fueron tempranos protagonistas de sublevaciones y rebeliones. Según Juan Bosch: "Parece que hacia 1503 ya se daban casos de negros que se fugaban a los montes, probablemente junto a los indios, puesto que en ese año Ovando recomendó que se suspendiera la llevada de negros a la Española debido a que huían a los bosques y propagaban la agitación". Más adelante, añade: "El 26 de diciembre de 1522 se produjo en la

---

[49] *Don Francisco de Toledo, supremo organizador del Perú: su vida, su obra (1515-1582)* v.I (Buenos Aires: Biblioteca del Congreso Argentino, 1935) 178.

[50] *América Latina, II: La época colonial* (México, D. F.: Siglo XXI, 1972) 4.

[51] Herbert S. Klein, *African Slavery in Latin America and the Caribbean* (New York: Oxford University Press, 1986) 21-43.

[52] Carlos Esteban Deive, *La esclavitud del negro en Santo Domingo (1492-1844)* (Santo Domingo: Museo del Hombre Dominicano,1980) 18-20; Juan Bosch, *De Cristóbal Colón a Fidel Castro: El Caribe, frontera imperial* (5ta. ed. dominicana) (Santo Domingo: Alfa y Omega, 1986) 138; Consuelo Varela, "Introducción", en *Los cuatro viajes* 12.

[53] *Colección de documentos inéditos relativos al descubrimiento, conquista y organización de las antiguas posesiones españolas de América y Oceanía, sacados de los Archivos del Reino y muy especialmente del de Indias*, Eds. Joaquín F. Pacheco, Francisco de Cárdenas y Luis Torres de Mendoza, vol. 31 (Madrid: Imp. de Quirós, 1864-1884) 23.

propia isla Española la primera sublevación de negros del Nuevo Mundo".[54] Gonzalo Fernández de Oviedo y Valdés señala que negros cimarrones se unieron a la revuelta del cacique indígena Enriquillo, en la Española. Eso, en su opinión, añadía un elemento oneroso a la rebelión: "É no se avia de tener tan en poco, en espeçial viendo que cada dia se yban é fueron á juntar con este Enrique é con sus indios algunos negros, de los cuales ya hay tantos en esta isla, á causa destos ingenios de açúcar, que paresçe esta tierra una efigie o imagen de la misma Ethiopia".[55] Igualmente, fray Toribio de Motolinia, en la Nueva España, advirtió que "los negros son tantos que algunas veces han estado concertados de se levantar y matar a los españoles".[56]

Este temor explica varias determinaciones oficiales. El 11 de mayo de 1526, por ejemplo, se emitió una cédula real para restringir el traslado a las Indias de negros ladinos. "El Rey. Por cuanto yo soy informado que a causa de se llevar negros ladinos destos nuestros Reinos a la Isla Española, los peores y de más malas costumbres que se hallan, porque acá no se quieren servir dellos e imponen y aconsejan a los otros negros mansos que están en dicha isla pacíficos y obedientes al servicio de sus amos, han intentado y probado muchas veces de se alzar y han alzado e ídose a los montes y hecho otros delitos...".[57]

Carlos Esteban Deive atinadamente sugiere que la fuga de negros ladinos a los montes y su actitud díscola en La Española se debe a la diferencia de rigor entre la servidumbre en la isla antillana y aquella a la que estaban acostumbrados en la península ibérica:

[54] *De Cristóbal Colón a Fidel Castro* 138, 143.

[55] Gonzalo Fernández de Oviedo y Valdés, *Historia general y natural de las Indias, islas y tierra firme del mar Océano* (Madrid: Real Academia de Historia, 1851) parte 1, l.4, c.4, t.1, p.141.

[56] "Carta de Fray Toribio de Motolinia al Emperador Carlos V", apéndice a su *Historia de los indios de la Nueva España*, ed. Edmundo O'Gorman (México, D. F.: Editorial Porrúa, 1984) 213.

[57] "R.C. para que no pasen a las Indias negros ladinos si no fuese con licencia particular de Su Majestad", Sevilla, 11 de mayo de 1526, en Richard Konetzke, *Colección de documentos para la historia de la formación social de Hispanoamérica, 1493-1810*, v. I (Madrid: Consejo Superior de Investigaciones Científicas, 1953) 80-81.

"De su condición de doméstico pasó a la de trabajador minero, y este cambio le hizo sentir de verdad el rigor de la esclavitud, su esencial injusticia y perversión, empujándolo así a ganar la libertad en la espesura de la selva, codo a codo con el nativo de la isla".[58]

Esto no llevó a descontinuar la introducción de esclavos negros a América. La muerte acelerada de los indígenas antillanos exigía una infusión constante y masiva de mano de obra servil. A lo que condujo fue a la importación en gran escala de negros bozales, cautivados o comprados en África. En 1589, un informe de la Casa de Contratación de Sevilla señaló a los esclavos negros como la mercancía más importante de exportación a América.[59]

El común olvido de la temprana presencia negra en la conquista y colonización de América no puede liberarse de la sospecha de cierto etnocentrismo. Lo que al respecto escribe Deive sobre la República Dominicana es aplicable también a otros lugares.

> En cuanto a la ponderación de la cultura propia, nada habría que decir si la misma no llevara aparejado el menosprecio de las ajenas. Desafortunadamente, éste no es el caso de los que pregonan que el núcleo paradigmático de normas, valores e ideas que conforman el *ethos* de la sociedad... se alimenta sustantivamente de savia ibérica libre de gérmenes infecciosos. Referido a los esclavos negros, ese modelo se instituye en ideal altanero y sectario de una monocultura que considera las de los africanos espurias, ilegítimas y vituperables, lo que denuncia una perniciosa actitud etnocéntrica... con el que se pretende descartar el papel constructivo del esclavo negro como agente de primer orden en la dinámica que condujo al surgimiento de la nación...[60]

¿Cómo conmemorar un *encuentro* que culmina con la abrogación de la soberanía de unos pueblos sobre su tierra y el radical diezmamiento de sus habitantes? Más fiel a la historia sería

---

[58] *La esclavitud del negro* 21.

[59] Rolando Mellafe, *La esclavitud en Hispanoamérica* (Buenos Aires: EUDEBA, 1964) 59-60.

[60] *La esclavitud del negro xiii.*

reconocer que la conquista fue un *violento choque de culturas*,[61] en el que triunfó la poseedora de la tecnología militar superior. Se escenificó en el Nuevo Mundo un *enfrentamiento o confrontamiento*; y ese *darse de frente* conllevó una grave *afrenta* en el que no sólo el poderío fue desigual, también lo fueron las percepciones, predominando en el nativo la perplejidad, admiración y, finalmente, el temor; mientras en el intruso prevaleció la aspiración de dominio e imposición.[62] Lo que se inició como encuentro entre diferentes grupos humanos se convirtió en relación entre dominadores y dominados.

La expansión de la cristiandad y el providencialismo hispano

Las anteriores observaciones no restan un ápice a la importancia del proceso en consideración. *La conquista de América es uno de los eventos más significativos en la historia de la humanidad*. Como asevera Francisco Miró Quesada: "No puede negarse... que el descubrimiento de América y, luego, su conquista, son acontecimientos históricos de incalculable importancia que han contribuido de manera decisiva a cambiar el curso de la historia".[63]

Cuatro siglos antes, Francisco López de Gómara, uno de los primeros cronistas de la conquista de América, lo dijo a la manera confesional de su tiempo: "La mayor cosa después de la creación del mundo, sacando la encarnación y muerte del que lo crió, es el descubrimiento de Indias; y así las llaman Mundo-Nuevo".[64] Su

---

61 Miguel León Portilla, *El reverso de la conquista: relaciones aztecas, mayas e incas* (México, D. F.: Editorial Joaquín Moritz, 1987) 8.

62 Enrique D. Dussel, "Otra visión del descubrimiento: El camino hacia un desagravio histórico", *Cuadernos americanos*, nueva época, Año 2, 3.9 (mayo-junio 1988). Dussel ha hecho una contribución importante y muy sugestiva al debate con su libro *1492: El encubrimiento del otro. (Hacia el origen del "mito de la modernidad")* (Santafé de Bogotá, Colombia: Ediciones Antropos, 1992). Sin embargo, no percibe lo esencial que hemos destacado: la toma de posesión como lo definitorio del primer viaje colombino. Por ello también se le escapa la función legitimadora de esa toma de posesión que adquieren los decretos de 1493 del Papa Alejando VI.

63 "V Centenario del descubrimiento" 31.

64 Prólogo dedicado a Carlos V "Señor de las Indias y Nuevo-Mundo", de la *Historia general de las Indias* (1552) (Madrid: Biblioteca de Autores Españoles, vol. 22, 1946) 156.

héroe favorito, Hernán Cortés no se quedó atrás, al considerar su conquista de Tenochtitlán: "La más santa y alta obra que desde la conversión de los apóstoles acá jamás se ha comenzado".[65] Por su parte, Colón escribió en su diario que su aventura marítima, que para gran parte de consejeros de la corte castellana "era burla", demostrará ser "la mayor honra de la Cristiandad".[66] El Papa León XIII, en ocasión del cuarto centenario del "descubrimiento de un mundo desconocido, allende el Oceáno Atlántico... bajo los auspicios de Dios" lo catalogó como "la hazaña más grandiosa y hermosa que hayan podido ver los tiempos".[67] Sin saberlo, repetía la tesis de Bartolomé de Las Casas, que lo evaluó como "la más egregia obra que hombre jamás... hizo...".[68]

Es ciertamente *la génesis de la cristiandad moderna como fenómeno mundial*. Por milenios Europa fue un continente asediado que había luchado por su independencia y sobrevivencia contra los persas en Maratón y Salamina, contra los hunos de Atila en Roma y contra los musulmanes en la península ibérica y en los balcanes. Tras el fracaso de las cruzadas, se encontraba a la defensiva ante la amenaza del imperio otomano que en 1453 tomó Constantinopla, avanzó luego hasta dominar los Balcanes, conquistar Hungría y llegó, en 1529, a las puertas de Viena, en el corazón mismo de Europa.[69] En 1492, sin embargo, la historia dio un vuelco decisivo para toda la humanidad. En los primeros setenta y cinco años del descubrimiento de América, Europa adquirió conocimiento de más tierras que en todo el milenio precedente.[70] También sentó las bases para su dominio mundial.

65 "Carta de Hernán Cortés al Emperador Carlos V (15 de octubre de 1524)", Cortés, *Cartas de relación* (México, D. F.: Editorial Porrúa, 1985) 210.

66 *Los cuatro viajes* 203.

67 Encíclica "Quarto abeunte saeculo", en Juan Terradas Soler, *Una epopeya misionera: la conquista y colonización de América vistas desde Roma* (Madrid: Ediciones y Publicaciones Españolas, 1962) 128.

68 *H.I.*, l.1, c.34, t.1, p.176.

69 Paul Kennedy, *The Rise and Fall of the Great Powers: Economic Change and Military Conflict From 1500 to 2000* (New York: Random House, 1987) 3-4.

70 Marcel Bataillon, "Novo mundo e fim do mundo", *Revista de história*, São Paulo, 18 (1954): 350.

Con el dominio del Nuevo Mundo, además de evadirse el enclaustramiento islámico, comienza la hegemonía imperial europea que, pasando por varias fases, caracterizaría la historia moderna. El colonialismo europeo moderno se inicia el 12 de octubre de 1492 (León XIII lo dice sutilmente: "se aumentó la autoridad del nombre europeo de una manera extraordinaria");[71] la lucha contra él, el momento en que el primer nativo americano rebelde se levanta en armas, en defensa de su tierra y su cultura. La famosa relección teológica de Vitoria sobre los "bárbaros del Nuevo Mundo", no sólo es un excelente escrutinio crítico de las razones legítimas o ilegítimas para arrogarse España el dominio sobre los pueblos americanos y sus tierras, también anticipa magistralmente las justificaciones esgrimidas posteriormente por los sucesivos sistemas imperiales europeos en América, África y Asia.

En esa expansión, la fe cristiana jugó un papel excepcional como ideología imperial. *In hoc signo vinces*: El emblema es de Constantino, pero también revela fielmente la mentalidad de los Reyes Católicos. No es mera coincidencia el que Hernán Cortés tuviese en su estandarte una cruz, acompañada de la siguiente inscripción latina: "Amici, sequamur crucem, et si nos fidem habemus, vere in hoc signo vincemus" ("Amigos, sigamos la cruz, y si tuviésemos fe, en esta señal venceremos").[72]

La mentalidad de cruzada, en la que la religión constituyó la principal ideología de dominio imperial, se expresó dramáticamente en el más famoso de los documentos oficiales aprobado por la corte hispana para racionalizar sus reclamos de soberanía sobre el Nuevo Mundo: el *Requerimiento* (1513). Este exigía que en el primer contacto con un pueblo indígena se le invocase una doble lealtad, fidelidad a la iglesia católica y a la corona castellana: "Vos ruego é requiero... reconozcáis á la Iglesia por señora é superiora del universso, é al Sumo Pontífice, llamado Papa, en su nombre, é al rey é á la reyna... como a señores é superiores...".

---

[71] "Quarto abeunte saeculo" 128.

[72] Robert Ricard, *La conquista espiritual de México. Ensayo sobre el apostolado y los métodos misioneros de las órdenes mendicantes en la Nueva España de 1523-24 a 1572* (México, D. F.: Fondo de Cultura Económica, 1985) 75.

Esa obediencia dual, demandada por una tropa armada y codiciosa de riquezas, se convierte en la clave que determina el futuro del pueblo, la condición inesperada de la paz o la guerra, el "libre vasallaje" o la esclavitud: "Si assi lo hiçiéredes, haréis bien, é aquello a que soys tenidos y obligados... Si no lo hiçiéredes... con el ayuda de Dios yo entraré poderosamente contra vosotros é vos haré guerra por todas las partes é maneras que yo pudiere, é vos subjectaré al yugo é obidiencia de la Iglesia é á Sus Alteças, é tomaré vuestras personas é de vuestras mujeres e hijos, é los haré esclavos, é como tales los venderé... é vos tomaré vuestros bienes, é vos haré todos los males é daños que pudiere...".[73]

La severa crítica con que Las Casas vapuleó al Requerimiento ("injusto, impío, escandaloso, irracional y absurdo")[74] no puede ocultar que compartió un sentido misionero, providencial y mesiánico semejante al de sus rivales. Para el fogoso fraile, el encuentro de las Indias por los españoles es un momento crucial de la providencia divina, de la historia de la redención humana dispuesta por Dios. Al iniciar su monumental *Historia de las Indias*, define el descubrimiento como "el tiempo de las maravillas misericordiosas de Dios", período en que el mandamiento evangelizador de la Iglesia se ha de cumplir para el Nuevo Mundo. El descubrimiento es, en instancia última y fundamental, producto de la "universal providencia" que, "en el abismo de sus justos juicios", determina cuando "las ocultas naciones son descubiertas y son sabidas", la ocasión en la que a los pueblos aislados, descendientes de Adán, les llega "el tiempo de las misericordias divinas... en el cual oigan y también reciban la gracia cristiana...". Se trata, pues, de un trascendental *kairós*, el fundamento de una *oikoumene* escatológica.

La divina providencia, según Las Casas, seleccionó a Cristóbal Colón, con el objetivo de iniciar la predestinada conversión de los naturales del Nuevo Mundo. "Escogió el divino y sumo Maestro

---

[73] Oviedo y Valdés, *Historia general y natural de las Indias*, parte 2, l.29, c.7, t.3, pp.28-29.
[74] *H.I.*, l.3, c.58, t.3, p.30.

entre los hijos de Adán que en estos tiempos nuestros había en la tierra, aquel ilustre y grande Colón... su ministro y apóstol primero destas Indias... varón escogido... Cristóbal, conviene a saber, *Christum ferens*, que quiere decir traedor o llevador de Cristo... y él metió a estas tierras tan remotas y reinos hasta entonces incógnitos a nuestro Salvador Jesucristo y a su bendito nombre... cúpido y deseoso de la conversión destas gentes, y que por todas partes se sembrase y ampliase la fe de Jesucristo...".[75]

Esa perspectiva providencialista confiere un carácter apocalíptico y escatológico a los viajes colombinos. La pregunta acerca del fin de la historia, prometido en el *Apocalipsis* bíblico e indefinidamente postergado, se contestaba regularmente por los teólogos en referencia a la encomienda misionera universal de la iglesia: la *parousía* de Cristo y la culminación de los tiempos acontecerían sólo después que se predicase el evangelio a todas las naciones. De aquí la importancia apocalíptica del descubrimiento, señal de la inminente cercanía del *eschatón*, del final de la historia. Asume Las Casas que el Papa Alejandro VI: "diese a Dios... loores y gracias inmensas, porque en sus días había visto abierto el camino para el principio de la última predicación del Evangelio y llamamiento... que es, según la parábola de Cristo, la hora undécima".[76] La historia se encuentra en su "hora undécima del mundo".[77] Este contexto apocalíptico confiere hondo significado universal al descubrimiento de América.[78]

Las Casas repudia la óptica conquistadora que convierte a los indígenas en nuevos moros, enemigos de la fe, a ser violentamente subyugados. No se percata, sin embargo, que es el providencialismo mesiánico prevaleciente en la España católica de los siglos quince y dieciséis, y que él comparte, lo que propulsa el avasallamiento

---

[75] *H.I.*, l.1, cc.1-2, t.1, pp.23-30.

[76] *H.I.*, l.1, c.79, t.1, pp.336-337.

[77] "Octavo remedio", *Tratados* 673.

[78] La mejor investigación sobre este tema que conozco es la de Alain Milhou, *Colón y su mentalidad mesiánica en el ambiente franciscanista español. Cuadernos colombinos*, No. 9 (Valladolid: Casa-Museo de Colón/Seminario Americanista de la Universidad de Valladolid, 1983).

cruento e implacable de los infieles.[79] No hay conflicto que supere en violencia y crueldad a la guerra santa, con su aterradora unión de cruz y espada.

Novus mundus, nova ecclesia

Tras la invasión de los conquistadores armados, vino la de los frailes, obispos y juristas. La conquista espiritual fue aún más profunda que la militar, política o económica. La desilusión radical con el viejo mundo y sus decadentes estructuras eclesiásticas, tan prevaleciente en el Renacimiento tardío, produjo, al unirse a la idea del descubrimiento de un nuevo mundo, la visión excitante del surgimiento de una nueva iglesia. El *novus mundus* sería así, el *locus* gestor de una *nova ecclesia*.

Este concepto lo adelantó Vasco de Quiroga,[80] primeramente funcionario real en la Nueva España y luego famoso Obispo de Michoacán. También se encuentra vigorosamente en los escritos de los misioneros franciscanos que tan fértilmente lograron evangelizar a los nativos mexicanos.[81] Se filtra también, paradójicamente, en el más violento de los conquistadores militares, Hernán Cortés.

Cortés rechaza una sugerencia previa de que la evangelización de México se le confiase al clero secular y la jerarquía diocesana. Este repudio de la iglesia diocesana comparte la opinión común en el Renacimiento pretridentino sobre la decadencia moral del

---

[79] Véase al respecto Tzvetan Todorov, *La conquista de América: La cuestión del otro* (México, D, F.: Siglo XXI, 1987) 173-194. El otro puede ser ignorado en su alteridad y avasallada su cultura, no sólo por los propugnadores de su esclavización, como Sepúlveda, sino también por sus defensores, como Las Casas.

[80] *Información de Derecho* (1535) (México, D. F.: Secretaría de Educación Pública, 1985).

[81] E.g., Toribio de Motolinia, *Historia de los indios de la Nueva España* (México, D. F.: Porrúa, 1984); Jerónimo de Mendieta, O.F.M., *Historia eclesiástica indiana* (1596) (3a. ed. facsimilar) (México, D. F.: Editorial Porrúa, 1980); cf. John Leddy Phelan, *The Millenial Kingdom of the Franciscans in the New World* (Berkeley and Los Angeles: University of California Press, 1956), y Georges Baudot, *La pugna franciscana por México* (México, D. F.: Consejo Nacional para la Cultura y las Artes - Alianza Editorial Mexicana, 1990).

clero regular y de la jerarquía eclesiástica. "Porque habiendo obispos y otros prelados no dejarían de seguir la costumbre que... hoy tienen, en disponer de los bienes de la Iglesia, que es gastarlos en pompas y otros vicios, en dejar mayorazgos a sus hijos y otros parientes...".

El conquistador insiste en que la tarea de evangelizar a los indígenas debe encomendarse exclusivamente a los frailes mendicantes. Sólo quienes estén libres de intereses materiales pueden acometer la inmensa tarea de la conquista espiritual de millones de infieles. Sabe que los sacerdotes aztecas tienden a ser más austeros y castos que los clérigos europeos y teme que si los nativos ven la mundanalidad de la iglesia diocesana sería imposible demostrarles la alegada superioridad espiritual del cristianismo: "Aun sería otro mayor mal que, como los naturales de estas partes tenían en sus tiempos personas religiosas... tan recogidas, así en honestidad como en castidad... si ahora viesen las cosas de la Iglesia y servicio de Dios en poder de canónigos u otras dignidades, y supiesen que aquéllos eran ministros de Dios, y los viesen usar de los vicios y profanidades que ahora en nuestros tiempos en esos reinos usan, sería menospreciar nuestra fe y tenerla por cosa de burla".[82]

Es indispensable que el emperador pida al Papa que otorgue a los frailes mendicantes poderes eclesiales y sacramentales que ordinariamente monopoliza la jerarquía diocesana. Sólo a las órdenes religiosas ligadas por los votos de pobreza, castidad y obediencia debe encomendarse la salvación de los indígenas. Si esta condición se cumple podría surgir en el nuevo mundo una nueva iglesia en la que Dios sea glorificado como en ninguna otra: "En muy breve tiempo se puede tener en estas partes... una nueva iglesia donde mas que en todas las del mundo Dios Nuestro Señor será servido y honrado...".[83]

De esta manera, el conquistador, violento, ambicioso y lujurioso se expresa como nuevo apóstol de los gentiles. Pero cuidado, justo después de este himno laudatorio de la nueva iglesia

---

[82] *Cartas de relación* 203.
[83] *Cartas de relación* 280.

en el nuevo mundo, Cortés recomienda autorizar la esclavización de los nativos insurrectos de Michoacán: "Les hagan guerra y los tomen por esclavos... y trayendo estos bárbaros por esclavos, que son gente salvaje, será nuestra majestad servido, porque sacarán oro en las minas, y aun en nuestra conversación podrá ser que algunos se salven".[84] El nuevo apóstol de los gentiles está dispuesto a ser su esclavizador, sobre todo si de oro se trata la cuestión.

Novus mundus, nova ecclesia. La imaginación utópica del Renacimiento tardío, tan dramáticamente expresada en *Utopía*, de Tomás Moro, se conjuga con el espíritu misionero de las órdenes mendicantes y la violencia inexorable de los conquistadores, no sólo para extrapolar el cristianismo a América, sino también para crear las condiciones del renacer de la iglesia de los pobres, la característica distintiva de la *ekklesia* apostólica. Una conjunción compleja de fuerzas materiales y espirituales que busca salvar el alma del aborigen, pero que al mismo tiempo posibilita la servidumbre de su cuerpo y en ocasiones incluso legitima su aniquilación.[85] La avaricia y codicia de los conquistadores parece ser una paradoja divina por medio de la cual Dios llama a los indígenas a la redención.[86]

¿Puede una utopía espiritual fundarse sobre la coerción y la violencia? Éste fue el dilema terrible que confrontó la Europa cristiana al subyugar la América gentil. Fue también el dilema trágico de muchos pueblos aborígenes. La aguda confrontación entre Las Casas y Sepúlveda (1550-1551) giró alrededor de este asunto. Era el tuétano de la cuestión: *La transformación del cristianismo en una ideología de expansión misionera imperial.*

El debate acerca de la evangelización de los nativos continuará con mucha validez respecto a los habitantes de la *tierra firme*. Con relación a los indígenas antillanos es mi firme opinión que el juicio más apropiado se aproxima a las tristes palabras del historiador católico Álvaro Huerga: "Se produce un apagón profundo de su

---

[84] *Cartas de relación* 282.

[85] Cf. Henri Baudet, *Paradise on Earth: Some Thoughts on European Images of Non-European Man* (New Haven and London: Yale University Press, 1965).

[86] José de Acosta, *De procuranda indorum salute* 287-191.

vida y de su propia cultura".[87]

El descubrimiento de América llevó inmediatamente a su conquista armada, un acto ejecutado de inicio a fin en el nombre de Jesucristo, el mártir del amor divino. En el nombre de Jesucristo fueron exterminados los arahuacos antillanos, destruida Tenochtitlán y asesinado Atahualpa. *Ad maiorem Dei gloriam.*

De la celebración a la reflexión crítica

El quinto centenario del descubrimiento de América fue ocasión excelente para reflexionar críticamente sobre las raíces de nuestra identidad histórica y para deliberar sobre nuestro futuro como pueblos con vínculos y desafíos comunes. Como afirmó Fernando Mires: "Invertir la celebración y convertirla en una fecha de meditación es... un deber ético...".[88]

Lo propio, para cristianos fieles al crucificado, es, mediante el escrutinio desmitificador y crítico, descubrir la sangre de Cristo derramada en los cuerpos de los americanos nativos y de los negros maltratados, sacrificados en el altar dorado de Mamón.[89] Esto conlleva oír la voz de los martirizados, articulada en el mensaje que 2,500 aborígenes entregaron al Papa Juan Pablo II, el 8 de abril de 1987, en Salta, Argentina.

> Bienvenido seas Juan Pablo II a estas tierras que en los orígenes pertenecieron a nuestros antepasados y que ya hoy no poseemos. En nombre de ellos y de nosotros que hemos sobrevivido a la masacre y al genocidio... te declaramos huésped y hermano...
>
> Éramos libres y la tierra... era de nosotros. Vivíamos de lo que ella nos daba con generosidad y todos comíamos en abundancia. Alabábamos a nuestro Dios en nuestro idioma, con nuestros gestos y danzas, con instrumentos hechos por nosotros.

---

[87] *Episcopologio de Puerto Rico, Don Alonso Manso, primer obispo de América (1511-1539)* (Ponce: Universidad Católica, 1987) 337.

[88] *En nombre de la cruz: Discusiones teológicas y políticas frente al holocausto de los indios (período de conquista)* (San José: Departamento Ecuménico de Investigaciones, 1986) 13.

[89] Gustavo Gutiérrez, *Dios o el oro en las Indias (siglo XVI)* (Lima: Centro de Estudios y Publicaciones, 1989).

Hasta que un día llegó la civilización europea. Plantó la espada, el idioma y la cruz e hicieron de nosotros pueblos crucificados. Sangre india de ayer martirizada por defender lo suyo, semilla de mártires del silencio de hoy, que con paso lento, llevamos la cruz de cinco siglos. En esa cruz que trajeron a América cambiaron el Cristo de Judea por el Cristo Indígena...

Ojalá que tanta sangre derramada por el etnocidio y genocidio que las naciones aborígenes hemos sufrido, sirva para la conciencia de la humanidad y para nuevas relaciones basadas en la justicia y la hermandad de los pueblos.[90]

---

[90] "Movimiento Ecuménico por los Derechos Humanos", Buenos Aires, *INFORMEDH* 56 (octubre de 1987):8.

Las *Capitulaciones de Burgos.*
Paradigma de las paradojas de la cristiandad colonial*

Grandísimo escándalo... es que... obispos y frailes y clérigos se enriquezcan y vivan magníficamente, permaneciendo sus súbditos recién convertidos en tan suma e increíble pobreza...

Bartolomé de las Casas

Un paradigma fundacional

El 8 de mayo de 1512 tiene lugar un evento de excepcional significado en la historia de la iglesia hispanoamericana. Ese día se firman, en la ciudad castellana de Burgos, las capitulaciones entre los reyes españoles y los primeros obispos de la iglesia a establecerse en América. Juana, monarca de Castilla y Fernando V, rey de Aragón y regente del gobierno castellano de su mentalmente perturbada hija, acuerdan con Fray García de Padilla, a nombrarse obispo de Santo Domingo, Pedro Suárez de Deza, prelado episcopal de Concepción de la Vega, y Alonso Manso, primera autoridad eclesial de la Isla de San Juan Bautista (Puerto Rico), las normas a regir en la implantación de la iglesia cristiana en el Nuevo Mundo.[1]

---

* Versiones previas se publicaron en *Apuntes* (Perkins School of Theology, Southern Methodist University, Dallas, Texas), 13.1 (primavera 1993):30-48 y *Exégesis* (Colegio Universitario de Humacao), 6.16 (mayo 1993): 2-11.

[1] García de Padilla murió sin llegar a trasladarse a su sede, Alonso Manso llegó a Puerto Rico a fines de 1512 y Suárez de Deza arribó a la Española a principios de 1514.

Conocidas como las *Capitulaciones de Burgos*,[2] constituyen una primera regulación normativa de la iglesia en las tierras americanas en proceso de conquista y colonización por la Europa cristiana. Respecto a la previsión jurídica de la iglesia en la América hispana, las *Capitulaciones de Burgos* revisten análogo papel al que tradicionalmente se le ha reconocido a las *Capitulaciones de Santa Fe* (17 de abril de 1492) en relación a la empresa colombina del descubrimiento del Nuevo Mundo: son textos que funcionan históricamente como *paradigmas fundacionales*.[3] Sorprende por eso el descuido general que las primeras han recibido de los historiadores, sobre todo de los eclesiásticos.

Entre los estudiosos católicos la atención ha sido mínima, a pesar de la obvia importancia de las *Capitulaciones* para la infancia de la iglesia romana americana. Félix Zubillaga, en el manual más utilizado, dedica una sola página a resumirlas, sin esforzarse en ubicar su significado histórico.[4] Pedro Borges, en su reciente historia de la iglesia hispanoamericana, reconoce su importancia,

---

[2] En el Archivo General de Indias, patronato 1, ramo. 12. Se reproducen en Francisco Javier Hernáez, *Colección de bulas, breves y otros documentos relativos a la iglesia de América y Filipinas*, vol. 1 (Bruselas: Imp. de Alfredo Vromant, 1879) 21-24; Manuel Giménez Fernández, "La política religiosa de Fernando V en Indias", *Revista de la Universidad de Madrid*, 3 (1943): 173-182; Vicente Murga Sanz, *Cedulario puertorriqueño*, vol. 1 (Río Piedras: Editorial de la Universidad de Puerto Rico, 1961) 123-127; y, William Eugene Shiels, S.J., *King and Church: The Rise and Fall of the Patronato Real* (Chicago: Loyola University Press, 1961) 319-325. Fragmentadamente también en Alejandro Tapia y Rivera, *Biblioteca histórica de Puerto Rico, que contiene varios documentos de los siglos XVI, XVII y XVIII* (1854) (San Juan: Instituto de Literatura Puertorriqueña, 2da. ed. 1945) 161-162; y, Cayetano Coll y Toste, *Boletín histórico de Puerto Rico*, vol. 7 (San Juan: Tipografía Cantero Fernández & Co., 1920) 381-382, que en su forma de extractos proceden del septuagésimoquinto tomo de la colección de manuscritos del historiador español del siglo dieciocho don Juan Bautista Muñoz, según lo evidencia Vicente Murga Sanz en *Puerto Rico en los manuscritos de Juan Bautista Muñoz* (Río Piedras: Editorial de la Universidad de Puerto Rico, 1960) 76-77.

[3] El concepto de paradigma fundacional lo he tomado de Djelal Kadir, *Columbus and the Ends of the Earth: Europe's Prophetic Rhetoric as Conquering Ideology* (Berkeley, CA: University of California Press, 1992) 73.

[4] "Historia de la iglesia en la América del Norte española", en León Lopetegui y Félix Zubillaga, *Historia de la iglesia en la América española. Desde el descubrimiento hasta comienzos del siglo XIX. México. América Central. Antillas* (Madrid: Biblioteca de Autores Cristianos, 1965) 249.

pero sin dedicarle el espacio analítico que merecen. Extraño es ese descuido en una obra cuyo autor privilegia la institución diocesana como la instancia en la que la iglesia queda *plena y definitivamente constituida*.[5]

Enrique Dussel las menciona en sus pioneras obras sobre el episcopado latinoamericano, pero sólo destaca someramente en ellas el asunto de los diezmos;[6] igual restricción manifiesta Ronald Escobedo Mansilla, en su útil discusión de la economía de la iglesia americana colonial.[7] Vicente Murga Sanz las reproduce en su cedulario puertorriqueño, pero en la provechosa introducción que lo acompaña se limita a señalar que en ellas, *se determina el sostenimiento económico de los obispos, clero e iglesias, entre otras cosas*,[8] sin reconocer que en esa vaga expresión final se ocultan asuntos de mucha monta para la iglesia que nace en el Nuevo Mundo. En su importante tratamiento de los inicios de la colonización y cristianización de Puerto Rico, Murga Sanz las ignora totalmente.[9] Cuesta Mendoza y Campo Lacasa aluden a ellas de pasada, sin reproducir su contenido ni, mucho menos, prestarles la atención que merecen.[10]

[5] Pedro Borges (editor), *Historia de la iglesia en Hispanoamérica y Filipinas (siglos xv-xix)*, vol. 1 (Madrid: Biblioteca de Autores Cristianos, 1992) 15.

[6] Las menciona brevemente en *El episcopado hispanoamericano. Institución misionera en defensa del indio, 1504-1620* (Cuernavaca: Centro Intercultural de Documentación, 1969-1970), v. 2: 73 y v. 4: 36-37. En sus obras posteriores se limita a repetir esas observaciones. Cf. *Historia de la iglesia en América Latina* (Barcelona: Editorial Nova Terra, 1972); *El episcopado latinoamericano y la liberación de los pobres (1504-1620)* (México, D. F.: Centro de Reflexión Teológica, 1979) e *Historia general de la iglesia en América Latina. Tomo I/1. Introducción general a la historia de la iglesia en América Latina* (Salamanca: Ediciones Sígueme, 1983).

[7] "La economía de la iglesia americana", en Pedro Borges, *Historia de la iglesia* 99-135.

[8] *Cedulario puertorriqueño* xxxii.

[9] *Juan Ponce de León: Fundador y primer gobernante del pueblo puertorriqueño* (2da. ed. revisada) (Río Piedras: Editorial de la Universidad de Puerto Rico, 1971).

[10] Antonio Cuesta Mendoza, *Historia eclesiástica del Puerto Rico colonial (1508-1700)* (Santo Domingo: Imprenta Arte y Cine, 1948) 27; Cristina Campo Lacasa, *Historia de la iglesia en Puerto Rico, 1511-1802* (San Juan: Instituto de Cultura Puertorriqueña, 1977) 33.

El erudito español Álvaro Huerga resume las *Capitulaciones*, pero su intención apologética de defenderlas de las censuras dirigidas a ellas por Bartolomé de las Casas le mutila el sentido crítico.[11] Extrañamente Huerga no menciona el juicio, algo similar al de Las Casas, que Salvador Brau emite sobre las *Capitulaciones* en la breve síntesis que de ellas incorpora en su *Opus magnum* sobre la colonización española de Puerto Rico.[12] Hubiese sido algo a esperarse, por la actitud defensiva de Huerga, cuya obra sobre Alonso Manso peca de confundir historiografía con hagiografía.

Los autores protestantes también las han ignorado. No se mencionan en la obra clásica de Kenneth S. Latourette sobre la expansión misionera de la iglesia,[13] ni en el extenso volumen sobre la historia del cristianismo en América Latina de Hans-Jürgen Prien.[14] Tampoco las trae a colación Justo González, en sus útiles investigaciones sobre la cristianización del Caribe y las Antillas.[15]

En realidad, el único que se ha percatado de su decisivo significado histórico ha sido Manuel Giménez Fernández, quien en iluminador ensayo certeramente entiende que las *Capitulaciones de Burgos* coronan la política religiosa y eclesiástica del Rey Católico para América. Pero, a su análisis textual le dedica pocas páginas[16] y deja fuera factores cruciales que permanecerían aún después de Fernando V. Además, esa sugestiva meditación de Giménez

---

[11] Álvaro Huerga, *La implantación de la iglesia en el Nuevo Mundo* (Ponce: Universidad Católica de Puerto Rico, 1987) 42-44.

[12] Salvador Brau, *La colonización de Puerto Rico, desde el descubrimiento de la isla hasta la reversión a la corona española de los privilegios de Colón* (1907) (3a. edición anotada por Isabel Gutiérrez del Arroyo) (San Juan: Instituto de Cultura Puertorriqueña, 1966; 5ta. ed., 1981) 202-205.

[13] *A History of the Expansion of Christianity. Vol. III: Three Centuries of Advance, A. D. 1500 - A. D. 1800* (New York: Harper & Brothers, 1939).

[14] *La historia del cristianismo en América Latina* (Salamanca: Ediciones Sígueme, 1985).

[15] *The Development of Christianity in the Latin Caribbean* (Grand Rapids, MI: William B. Eerdmans Publishing Co., 1969) e *Y hasta lo último de la tierra: una historia ilustrada del cristianismo. Tomo 7: La era de los conquistadores* (Miami: Editorial Caribe, 1980).

[16] Giménez Fernández, "La política religiosa" 159-165.

Fernández ha sido poco atendida e incluso injustamente denigrada.[17]

Analicemos este importante documento que revela trazos, matices y dimensiones que demostrarían ser persistentes y determinantes en la historia de la cristiandad colonial hispanoamericana. Su análisis textual revela la causa interesada de su descuido. El relato tradicional de la conquista y cristianización de América tiende sistemáticamente a encubrir y ocultar eventos, documentos y testimonios que cuestionen lo que Arcadio Díaz Quiñones ha llamado la "política del olvido" de una "historia llena de silencios y ocultamientos".[18]

El Patronato Real: la primacía del Estado

Las *Capitulaciones* se inician con la referencia, omnipresente durante las primeras décadas de conquista y cristianización, a los decretos *Inter caetera* y *Eximiae devotionis* del papa Alejandro VI,[19] generalmente llamados "bulas de donación" de 1493, que certifican la soberanía absoluta y perpetua de los monarcas de Castilla sobre las tierras americanas. Prosiguen señalando a otro pronunciamiento también encabezado *Eximiae devotionis* del mismo pontífice, esta vez del 1501,[20] que culmina esa autoridad política con la potestad de recaudar y controlar los diezmos eclesiásticos en el Nuevo Mundo. De esta manera, en el estilo de corrección jurídica que caracteriza al gobierno de Fernando V, se alude sumariamente a los fundamentos legales de la autoridad española en América y

---

[17]   Huerga la llama *desorbitada*. *La implantación* 45. También desde una óptica apologética intenta desacreditarla Charles-Martial De Witte, "Les bulles pontificales et l'expansion portugaise au xve siècle", *Revue d'histoire ecclésiastique* 53 (1958): 444.

[18]   *La memoria rota: ensayos sobre cultura y política* (Río Piedras: Ediciones Huracán, 1993).

[19]   Se reproducen, en latín, por Shiels, *King and the Church* 283-289, y en traducción española, como apéndices a Bartolomé de las Casas, *Tratados* (transcripción de Juan Pérez de Tudela Bueso y traducciones de Agustín Millares Calvo y Rafael Moreno) (México, D.F.: Fondo de Cultura Económica, 1965) 1281-1288.

[20]   Original latino en Hernáez, *Colección de bulas* 20-21 y Shiels, *King and Church* 294-295; traducción al inglés en 90-91.

de la injerencia de la corona en el régimen eclesiástico americano.

Las *Capitulaciones* constituyen las normas que la corona impone como requisitos fundamentales para permitir a la iglesia funcionar en las tierras recién encontradas. Son un punto de partida de la transferencia del cuerpo eclesiástico a América, pero también acontecen al final de una intensa pugna entre el estado español y el papado por determinar el control de la nueva iglesia. El monarca, a pesar de enarbolar innumerables veces el estandarte evangelizador y misionero como razón de ser de la conquista y colonización de América, detuvo el establecimiento de la iglesia en el Nuevo Mundo y limitó las empresas misioneras hasta obtener de Roma las claves principales que permitirían a la corona castellana controlar decisivamente las instituciones eclesiásticas. Durante las dos décadas iniciales de conquista y colonización, que probaron ser irreversiblemente trágicas para los nativos antillanos, la corte paralizó el desarrollo de la iglesia en América hasta lograr oficialmente su control.[21] La vicaría espiritual de fray Bernardo Boil no duró un año (el 22 de noviembre de 1493 llegó junto a Cristóbal Colón a La Española y la abandonó, para nunca regresar, el 29 de septiembre de 1494).[22] La obra proselitista de fray Ramón Pané fue escasa y poco fértil.[23] A pesar de la retórica oficial evangelizadora, la cristiandad invasora no promovió muchas

---

[21] Según Giménez Fernández, al morir la reina Isabel a fines de 1504, "en las Indias no existían ni iglesias, ni conventos, ni obispos, ni conversos, y sólo apenas unos clérigos asalariados para las mínimas atenciones religiosas de los colonos". "La política religiosa" 132.

[22] Sobre él escribe Las Casas: "Este padre fray Buil llevó... poder del Papa muy cumplido en las cosas espirituales y eclesiásticas... pero como estuvo tan poco en la isla... ni ejercitó su oficio, ni pareció si lo tenía". *Historia de las Indias* (México, D. F.: Fondo de Cultura Económica, 1951), l.1, c.81, t.1, pp.344-345 [en adelante *H.I.*]. El *poder del Papa* se refiere a la bula *Piis fidelium* emitida por Alejandro VI el 25 de junio de 1493. Aunque Boil celebró la primera misa en tierra americana el 6 de enero de 1494, no parece haber tenido tiempo ni disposición para trabajo misionero alguno. La anarquía que prevalecía en las colonias de ultramar, causada por la enorme distancia entre la fabulosa arcadia ensoñada, lista para ser saqueada, inicialmente descrita por Colón y la realidad antillana, tampoco le permitió establecer un mínimo orden eclesial. Sus esfuerzos se disiparon en agrias disputas con el Almirante.

[23] Véase la obrita en la que Pané relata sus experiencias con los nativos de las Antillas: *Relación acerca de las antigüedades de los indios* (ed. por José Juan Arrom) (México, D. F.: Siglo XXI, 1987).

empresas misioneras durante las primeras dos décadas de descubrimiento y conquista.

El Estado, gracias al apreciado *derecho de patronato real*,[24] fue el encargado de la promoción institucional de la iglesia en América. El reconocimiento papal de esta función protagonista fue norte de la política de Fernando V, continuada fielmente por sus sucesores. La rendición ante ella la inició Alejandro VI, en la bula *Inter caetera*, de mayo de 1493, cuando pone en las manos de la corona castellana la autoridad de enviar misioneros para adoctrinar y evangelizar a los nativos de las tierras encontradas por Cristóbal Colón, la prosigue el mismo pontífice en la ya mencionada bula *Eximiae devotionis* de 1501[25] y la consolidó el papa Julio II en la bula *Universalis ecclesiae*, de 1508, en la que otorga a la corona la autoridad para erigir toda estructura eclesial (parroquias, monasterios y *lugares píos*) y hacer presentación de quienes las dirigirían, bajo la supervisión continua del Estado.

Esta matizada versión española del cesaropapismo se origina en la Reconquista, la multisecular guerra ibérica entre cristianos y moros. Escudada tras la alegada necesidad de unir los poderes políticos, militares y espirituales en la lucha contra los infieles sarracenos, la corona obtuvo del papado durante la Edad Media poderes excepcionales. El patronato real tiene origen, por consiguiente, en una concepción religiosa-militar. Es la batalla de la fe contra la infidelidad lo que exige la concentración de poderes. Y será la necesidad de unir esfuerzos para erradicar la infidelidad en los nuevos territorios ultramarinos lo que justificaría la extensión y ampliación del derecho de patronato real, de las tierras reconquistadas de los islamitas, a las arrebatadas a los idólatras indígenas.

---

24 Sobre el patronato real es muy útil la citada obra del jesuita William E. Shiels, quien incluye los documentos pertinentes, en su idioma original (latín o español) con traducción inglesa, y los acompaña de prudentes interpretaciones.

25 El original en Hernáez, *Colección de bulas* 24-25 y Shiels, *King and Church* 310-313, quien lo traduce en las pp. 110-112. Sobre el origen y significado del patronato real, véase Pedro de Leturia, S.I. *Relaciones entre la Santa Sede e Hispanoamérica, 1493-1835*, vol. I (Caracas: Sociedad Bolivariana de Venezuela; Roma: Universidad Gregoriana, 1959) 1-48.

El patronato real conllevó la cesión a los monarcas españoles, por Roma, del derecho a fundar iglesias, delimitar geográficamente las diócesis, presentar las mitras y beneficios eclesiásticos, percibir diezmos, escoger y enviar misioneros. Esa facultad de patronazgo eclesiástico la asumió la monarquía hispana con ahínco, haciendo en todo momento clara su autoridad sobre todos los asuntos del Nuevo Mundo, los espirituales tanto como los temporales, de manera tal que con cierta propiedad podría hablarse de un *regio vicariato indiano*.[26] Debates eclesiásticos de toda índole se remitían a la península ibérica, no a Roma, para dilucidarse. No es extraño, por ejemplo, que en la disputa entre el clero ordinario y los frailes mendicantes, un monje, al expresar al monarca su punto de vista, llame al rey Felipe II *lugarteniente en la tierra del Príncipe del cielo* y confíe para la solución del diferendo en el hijo de Carlos V, "cuyo remedio pende... del Real amparo y celo y patronazgo de V[uestra]. M[ajestad]".[27] Roma se marginó del centro decisional eclesial americano y aunque luego trataría de recuperar lo perdido, primero, desde 1566, con Pío V, y luego mediante la fundación en 1622 de la Congregación de Propaganda Fide, no lo obtendría íntegramente en toda la época colonial.[28]

Cuando escudriñan temas nucleares para la genealogía de su iglesia, algunos estudiosos eclesiásticos confunden la historia con la apología. Ejemplo de este modo de proceder es el acrítico juicio de Cuesta Mendoza, para quien nada menos que la identidad cultural hispanoamericana procede del patronato real: "[D]e esa especie de centralización eclesiástica es hija la homogeneidad en religión, lenguas y costumbres de los veinte pueblos hispanos de América...". En su devota opinión, la clarividencia real, al proveer obispos para Puerto Rico, nunca falló: "[L]a lista de los veinte prelados de Puerto Rico, durante la Casa de Austria, evidencia el acierto que en el ejercicio del patronato, mostraron los Reyes de

[26] Véase Manuel Gutiérrez de Arce, "Regio patronato indiano (Ensayo de valoración histórico-canónica)", *Anuario de estudios americanos* 11 (1954) 107-168.

[27] Mariano Cuevas, *Documentos inéditos del siglo XVI para la historia de México* (México, D.F.: Editorial Porrúa, 1975) 398, 403.

[28] Pedro Borges, *Historia de la Iglesia* 47-59.

España".[29] Para los hagiógrafos todo cuestionamiento es una crítica y toda crítica es anatema.

Probablemente sea cierto lo aseverado por algunos historiadores, que el patronato real permitió a la corona española promover el impresionante crecimiento de la iglesia. Durante el primer siglo de colonización, el estado español creó y subsidió en América seis provincias eclesiásticas, treinta y dos diócesis, sesenta mil iglesias y cuatrocientos monasterios.[30] Pero, el factor primario en la consideración de los monarcas, desde Fernando V hasta el último de los borbones en regir sobre territorio latinoamericano, fue el tener en las manos las riendas del poder colonial, incluido el potencialmente retador ámbito espiritual y religioso.

De aquí surge una extraña paradoja. Aunque los juristas de la corona citan continuamente los decretos papales pertinentes para fundamentar la jurisdicción castellana sobre América, lo hacen desde una perspectiva estatal centralizadora y absolutista. Es un papalismo máximo al nivel retórico y un regalismo máximo al nivel del auténtico poder. La corona llega incluso a pretender controlar la relación entre el papado y la iglesia americana, mediante el llamado *pase regio*. Éste prohibe toda comunicación directa entre la cristiandad americana y el Papa y su objetivo es evitar que la iglesia pueda actuar con autonomía y convertirse en un potencial desafiador del régimen.

Citemos un ejemplo destacado. Cuando el papa Pablo III, alertado por voces proféticas, intervino en el espinoso drama de la servidumbre del americano, mediante la bula *Sublimis Deus* y el breve *Pastorale officium*,[31] de 1537, insistiendo en la racionalidad, capacidad para la conversión y libertad natural de los nativos, Carlos V se enfrentó al Sumo Pontífice y le forzó a retirarse de la palestra.[32] El punto de contención para el emperador no era el

---

29 *Historia eclesiástica* 44.

30 Joseph Höffner, *La ética colonial española del siglo de oro: Cristianismo y dignidad humana* (Madrid: Ediciones Cultura Hispánica, 1957) 423.

31 *Sublimis Deus* se reproduce en Cuevas, *Documentos inéditos* 499-500 (latín) y 84-86 (español); *Pastorale officium* en Hernáez, *Colección de bulas* 101-102.

32 Cf. Lewis Hanke, "Pope Paul III and the American Indians", *Harvard*

contenido teológico del escrito papal, sino el intento de Roma de intervenir como poder espiritual autónomo en los asuntos indianos. Con lo cual, sin embargo, no pudo evitar que la bula indófila de Pablo III se convirtiese en uno de los documentos más importantes en favor de la libertad humana en toda la historia de la cristiandad.

Las *Capitulaciones de Burgos* son, por consiguiente, prólogo del enlace estrecho entre iglesia y estado, religión y política que marcaría indeleblemente a la cristiandad colonial hispanoamericana. La alianza entre el estado y la iglesia forjó obstáculos insalvables para la iglesia al llegar la hora de la emancipación política. El vínculo entre el estado central y la iglesia jerárquica se endureció en el crujir de las luchas independentistas, lo que llevó al papa Pío VII a promulgar en 1816 el breve *Etsi longissimo*[33] en el que exhortaba al clero hispanoamericano a sostener "con el mayor ahínco la fidelidad y obediencia debidas a vuestro Monarca", es decir, "a nuestro carísimo hijo en Jesucristo, Fernando, Vuestro Rey Católico", eso en el momento en que las mejores mentes y corazones latinoamericanos se volcaban en un frenesí emancipador contra el monarca español, Fernando VII, quien dos años antes había disuelto las Cortes de Cádiz y ahogado sus aspiraciones constitucionalistas.

Estas conminaciones no pudieron evitar el surgir de curas parroquiales como el mexicano Miguel Hidalgo y Costilla, quien en el famoso *Grito de Dolores* enlazó audazmente su fe y su conciencia nacional, clamando contra la jerarquía hispanófila que lo excomulgaba: "Ellos no son católicos, sino por política; su Dios es el dinero... sólo tienen por objeto la opresión. ¿Creéis acaso que no puede ser verdadero católico el que no está sujeto al déspota español?".[34] Pagó con su vida tan atrevido desafío.[35]

Theological Review 3 (1937): 65-102 y Gustavo Gutiérrez, "Las Casas y Paulo III", *Páginas* (Lima) 16.107 (febrero de 1991): 33-42.

[33] Se reproduce en Pedro de Leturia, S.J., "La encíclica de Pío VII (30 de enero de 1816)", *Anuario de estudios americanos*, 4 (1947): 506-507 (latín) y 461-462 (español).

[34] "Manifiesto del Sr. D. Miguel Hidalgo y Costilla" en Enrique D. Dussel,

Una iglesia blanca y colonial

Algunas normas de las Capitulaciones se refieren a cánones y hábitos eclesiásticos, de obvio origen europeo y occidental. Estipulan que todo sacerdote ordenado sea diestro en el latín. Entran en minucias de la etiqueta apropiada de un clérigo, como su corte de cabello, "que traigan corona abierta, tan grande como un real castellano al menos; y el cabello de dos dedos, bajo la oreja" y su vestidura, sea su longitud "que sea la ropa tan larga que al menos con un palmo llegue al empeine del pie...", o su color, "que no sea deshonesto". Son tradiciones y costumbres de origen europeo, como lo revela la longitud de la ropa clerical, tan fuera de tono con el tropical clima caribeño al que se enfrentarían los prelados. Bien precisa el erudito español Antonio García y García que se intenta constituir una iglesia americana "a imagen y semejanza de la que existía contemporáneamente en Europa".[36] Las *Capitulaciones* también tocan asuntos de gobierno eclesiástico como la relación entre los episcopados americanos y el Arzobispado de Sevilla, considerado este último como *Metropolitano de las Iglesias y Obispados de las dichas Islas*, estructura de mando que prevaleció hasta 1546, cuando se constituyeron las archidiócesis de Santo Domingo, México y Lima.

De mayor importancia por sus decisivas consecuencias para la composición étnica y cultural de la iglesia americana es la regla que se refiere a los puestos eclesiásticos. Estos deben proveerse exclusivamente "a hijos legítimos de los vecinos y habitadores, que

---

Religión (México, D. F.: Editorial EDICOL, 1977) 201. Cf. Karl M. Schmitt, "The Clergy and the Independence of New Spain", *The Hispanic American Historical Review* 34 (1954): 289-312.

[35] La victoria de los movimientos emancipadores no puso coto a la exigencia estatal de patronato eclesiástico. Los nuevos gobiernos republicanos lo reclamaron con ahínco similar al trono castellano. La diferencia es que mientras los reyes españoles lo fundaban en el *motu proprio* papal como los austrias o en el derecho divino monárquico como los borbones, los regentes políticos de las nuevas entidades estatales lo establecen sobre el principio de la soberanía popular. Con ello, sin embargo, renuncian las repúblicas latinoamericanas a liberar el asfixiante lazo colonial entre la iglesia y el estado. Cf. Prien, *La historia del cristianismo* 394-395.

[36] "Organización territorial de la iglesia", en Pedro Borges, *Historia de la Iglesia* 139.

44

hasta agora, e de aquí adelante han pasado o pasaren destos reinos a poblar en aquellas partes, y de sus descendientes, y no a los hijos de las naturales[37] de ellas..." Con ello se da el primer paso decisivo para asentar jurídicamente la hegemonía en la iglesia hispanoamericana colonial de los estratos sociales blancos y de descendencia europea, marginando a nativos y mestizos.[38]

Lo que para Robert Ricard, en su obra clásica acerca de la evangelización por las órdenes mendicantes,[39] constituye la *flaqueza capital* de ese proceso, la división en el seno de la iglesia entre un clero y una jerarquía de tez blanca y cultura hispana y un pueblo feligrés de piel trigueña y lenguas nativas, es, cosa que el erudito francés no parece notar, defecto congénito en el nacimiento de la institución eclesiástica en América. No me parece suficiente la hipótesis de Ricard de que la falla de los misioneros, a quienes admira por su devoción y espíritu de sacrificio, procede de una

---

[37] El *Cedulario puertorriqueño* de Murga Sanz erróneamente dice *las naturales.*

[38] Los hermanos Perea se enmarañan en un laberinto exegético de su propia manufactura al pretender que este postulado *excluía tanto a los españoles peninsulares como a los indios puros, pero no a los mestizos.* De haber querido la corona castellana impedir que peninsulares ocupasen los beneficios eclesiásticos lo hubiese regulado con la meridiana claridad con que estipuló la exclusión de los nativos. Los Perea tropiezan con el obvio obstáculo a su interpretación que algunos episcopados por mucho tiempo fueron ocupados por peninsulares. En respuesta enredan más el asunto al añadir que *tal estipulación tenía sólo carácter previsivo, pues no era desde luego susceptible de cumplimiento inmediato.* En el caso que les interesa, el de Puerto Rico, ¡ese futuro tardaría más de tres siglos en concretizarse!. El primer obispo nacido en suelo puertorriqueño, y el único durante los cuatro siglos de dominio español en la isla, sería Juan Alejo Arizmendi y de la Torre, consagrado a ese puesto en 1804 (lo ocupó hasta su muerte en 1814). Tampoco evidencian los Perea su hipótesis de que la norma excluyente de *hijos de los naturales* posibilite la nominación de mestizos. La práctica eclesiástica, libre de velos apologéticos, fue ciertamente otra. Juan Augusto y Salvador Perea, *Early Ecclesiastical History of Puerto Rico, With Some Account of the Social and Political Development of the Island During the Episcopate of Don Alonso Manso, The First Bishop in the New World (1513-1539)* (Caracas: Tipografía Cosmos, 1929) 21; *Orígenes del episcopado puerto-riqueño* (San Juan: Imp. Cantero Fernández & Co., Inc, 1936) 16; y, *Revista de historia de Puerto Rico* 1.1 (agosto de 1942): 92.

[39] *La conquista espiritual de México. Ensayo sobre el apostolado y los métodos misioneros de las órdenes mendicantes en la Nueva España de 1523-24 a 1572* (México, D. F.: Fondo de Cultura Económica, 1986).

noción negativa de la religiosidad nativa que les impide apreciar las posibles contribuciones que ésta puede aportar a la nueva cristiandad. Ricard no percibe, por reducir su estudio a lo exclusivamente religioso y negarse a ampliar el ámbito teórico e ideológico de su pesquisa crítica, la dificultad estructural que representaría el forjar una iglesia autóctona en un contexto de dependencia colonial y racial.

Capta Ricard cabalmente, éste es su mérito, que en la batalla contra el culto indígena, tildado de idolátrico y diabólico, los frailes misioneros, a pesar de su entrega a la promoción espiritual de las comunidades nativas, terminan, aún sin quererlo, enfrascados en guerra contra la cultura indígena, por el vínculo íntimo que en los pueblos americanos enlaza el culto y la cultura. Nadie como Ricard ha expresado tan bien esa pugna interior, que imparte el agónico carácter contradictorio a los escritos de fray Bernardino de Sahagún, para mencionar el caso de mayor resonancia, cuya obra es el buceo más profundo en la vida cultural náhuatl intentado por los españoles en el siglo dieciséis. No logra, sin embargo, Ricard ubicar esa genial intuición en el contexto mayor de la paradoja que representa la cristiandad colonial, promotora simultánea del beneficio espiritual y el sojuzgamiento político, económico y cultural del pueblo. Sahagún se acerca a comprender la trágica paradoja de la degeneración espiritual y moral que quizá había provocado la evangelización de los nativos americanos, en su emotiva nota "relación del autor digna de ser notada", que se permite, a manera de lamento, insertar en su obra principal *Historia general de las cosas de Nueva España* (1482), y en la cual, contra sus usuales hábitos de misionero, percibe que el lazo íntimo entre el culto y la cultura de los pueblos autóctonos sea quizá indisoluble.[40]

La prohibición de publicar la obra de Sahagún, emitida el 22 de abril de 1577,[41] es un intento, por parte de la corte de Felipe II, de solucionar la paradoja en favor del poder metropolitano, extin-

---

40 (México, D. F.: Editorial Porrúa, 1985) 578-585.

41 Se reproduce en Christian Duverger, *La conversión de los indios de la Nueva España. Con el texto de los "Coloquios de los Doce" de Bernardino de Sahagún* (Quito: Ediciones Abya Yala, 1990) 39.

guiendo las posibles reservas de resistencia espiritual que podría implicar la vigencia de los símbolos culturales prehispánicos. La victoria espiritual parece decisiva, pero no podrá evitar que una y otra vez la Tonantzin resurja en desafío insurgente, transfigurada en la morena Virgen de la Guadalupe.

Desde el origen de la institución cristiana en el Nuevo Mundo, se establece la primacía del modo occidental, europeo y blanco de pensar y vivir la fe. Esa primacía es la cuna de la dicotomía del catolicismo iberoamericano (también presente en Brasil).[42] Por un lado, una jerarquía blanca, europea o criolla con hábitos y formación occidentalista, tridentina en su dogmatismo doctrinal y rígida en los rituales religiosos, fieles al misal romano; por el otro, una feligresía mayoritariamente mestiza (y mulata), ignorante en asuntos teológicos y entregada a múltiples manifestaciones de la llamada "religiosidad popular", en las que busca arraigo íntimo y subjetivo compensatorio de la frialdad de la misa latina, y en la que se filtran sincréticamente las viejas tradiciones pre-europeas y pre-cristianas.

Esta dicotomía constituye un rezago fundamental de todo el período colonial que desemboca en la colosal crisis de conciencia a principios del siglo diecinueve entre la lealtad al cristianismo y la defensa de la independencia nacional, agonía experimentada por sensibilidades religiosas y patrióticas como la de Miguel Hidalgo, y en la confrontación entre la iglesia jerárquica y la "iglesia popular" a partir de la década de los sesenta en el siglo veinte, presagiada más de cuatrocientos años antes por el diferendo inicial entre Juan Diego, indígena pobre e iletrado, y Juan de Zumárraga, primer Obispo de México, sobre la Guadalupe.[43] De aquellos vientos sembrados se cosecharon estas posteriores tempestades.

---

[42] José Comblin, "Situação histórica do catolicismo no Brasil", *Revista eclesiástica brasileira*, 26: 574-601; y, del mismo autor, "Para uma tipologia do catolicismo no Brasil", *Revista eclesiástica brasileira*, 28: 46-73.

[43] Véase Jacques Lafaye, *Quetzalcoatl et Guadalupe: La formation de la conscience nationale au Mexique* (Paris: Gallimard, 1974; Chicago: The University of Chicago Press, 1976; México, D. F.: Fondo de Cultura Económica, 1977).

Fe y oro

Empero, la preocupación fundamental que permea las *Capitulaciones* es más bien de índole material: el *oro*. El documento procede de la época en que prevalecía la concepción medieval de que el oro nace en lugares calientes, visión que configuró la creencia de Cristóbal Colón de encontrarse en el Caribe las minas del rey Salomón y que convirtió a las islas antillanas en implacables empresas de explotación aurífera.[44] Fue uno de los mitos difundidos por Colón, el Caribe aurífero cuyas inmensas riquezas, pensaba el Almirante, permitirían lograr en tres años el añejo sueño de la Cristiandad: reconquistar la Tierra Santa, recuperar los lugares bendecidos por la presencia física de Jesús. La insaciable búsqueda del oro es tema constante en Colón, que culmina en su famosa teologización del metal precioso: "El oro es excelentíssimo; del oro se hace tesoro, y con él, quien lo tiene, haçe cuanto quiere en el mundo, y llega a que echa las ánimas al Paraíso".[45]

El problema es que el oro no nace en las ramas de los árboles; hay que extraerlo mediante un esfuerzo laboral intenso, lo que conllevó la imposición de un sistema servil de sobreexplotación del trabajo. A ese asunto le dedican prioritaria atención las *Capitu-*

---

44 Frank Moya Pons, *La Española en el siglo XVI, 1493-1520: Trabajo, sociedad y política en la economía del oro* (3ra. ed.) (Santiago, República Dominicana: Universidad Católica Madre y Maestra, 1978) 35-118.

45 Cristóbal Colón, *Los cuatro viajes: Testamento* (ed. de Consuelo Varela) (Madrid: Alianza Editorial, 1986) 292. Sobre la relación entre fe y oro en la empresa colombina, es útil comparar las perspectivas opuestas de Ramón Iglesia en su ensayo "El hombre Colón", en, del mismo autor, *El hombre Colón y otros ensayos* (México, D. F.: Fondo de Cultura Económica, 1986) 67-89 y Delno West en su introducción a *The libro de las profecías of Christopher Columbus* (tr. y ed. por Delno C. West & August Kling) (Gainesville, FL: University of Florida Press, 1991) 1-93. Mientras West acentúa en Colón la primacía de la fe sobre el interés comercial, la Iglesia recalca en el Almirante la aspiración de lucro y subestima los motivos misioneros. Kadir ensaya conciliar ambas perspectivas, al percibirlas como dos dimensiones estrechamente vinculadas, en coincidencia de factores opuestos, no sólo en Colón, sino en la postura europea y occidental ante los nuevos territorios a evangelizarse y explotarse simultáneamente y por los mismos protagonistas. De esta manera, se neutraliza la disputa entre quienes ven en Colón el portaestandarte de la modernidad y quienes lo perciben enclaustrado en las concepciones medievales. *Columbus* 48-53.

laciones de Burgos. Algunas normas relativas a la minería aurífera expresan su centralidad para la administración colonial. Prohibe la corona que "a los que tuvieren indios en las minas, ni a los indios que en ellas anduvieren", durante el tiempo del trabajo extractor, se les emplace judicialmente, "por sus causas ni ajenas... por ningún juez". Es traba importante si recordamos que la iglesia española del siglo dieciséis poseía una amplia jurisdicción legal sobre individuos y corporaciones. El objetivo del soberano, al que se pliegan los prelados, es evitar que el ejercicio de esa facultad fiscalizadora entorpezca el trabajo minero. La potestad inquisitorial no debe afectar la extracción del oro. Las implicaciones de esta impunidad conferida a los magnates son siniestras. El otorgar amnistía legal a quienes mueve el afán de riquezas es siempre fuente de arbitrariedades.

Además, los prelados "no han de llevar diezmos, ni otra cosa alguna, de oro, ni de plata... ni de perlas, ni de piedras preciosas...". La exclusión del oro, la plata, las perlas y cualquier otra piedra preciosa, los sectores estratégicos de la administración colonial tal cual la concebía el monarca aragonés, de la obligatoriedad del diezmo eclesiástico fue otra de las exigencias de Fernando V al papado. Julio II la satisfizo en 1510, mediante la bula *Eximie devotionis affectus*,[46] aduciendo la necesidad que tenía la corona de recuperar los costos de la conquista y colonización de "las islas marítimas y otras regiones a las cuales por muchísimo tiempo no tenían acceso los cristianos por estar", dice el decreto papal, "ocupadas por sarracenos y otros infieles...". Es difícil entender la afirmación de Shiels de que el capítulo de los diezmos refleja un *"unique act of royal generosity"*.[47] En realidad, su objetivo es excluir de los diezmos al sector principal de la explotación económica antillana, la minería. Con precisión afirma Ronald Escobedo Mansilla que al quedar excluidos de los diezmos los productos de

---

[46] En Shiels, *King and Church* 313-315 (latín) y 113-115 (inglés). Giménez Fernández analiza las dos bulas de Julio II favorecedoras del patronato real de Fernando el Católico, la *Universalis ecclesiae* de 1508 y la *Eximie devotionis affectus* de 1510, en el contexto de la alianza política y militar entre la corona española y el papado. "La política religiosa" 140.

[47] *King and Church* 121.

las minas, "se quitaba a la Iglesia en América el rubro más sustancioso y el sector en el que la Corona tenía puestas sus esperanzas económicas y fiscales..."[48] Sólo así se explica la continua queja de Alonso Manso, primer prelado diocesano en trasladarse a América[49] y obispo de Puerto Rico entre 1512 y 1539, por la penuria fiscal de su episcopado.[50]

Además, la corona reglamenta que los obispos perciban los diezmos en especie: "en frutos... y no en dineros...". El efecto de esta regla será que para adquirir dinero efectivo, los prelados se verán obligados a comerciar los frutos recibidos, lo que no redundará en mayor atención a las tareas espirituales.[51] Salvador Brau señaló que, para compensar la escasez de los diezmos, Alonso Manso recurrió a la explotación de la mano de obra de indios encomendados primero y de esclavos negros después.[52] Fue el primero; no sería el último.

Pero, el papel particular, exclusivo, de los prelados episcopales en relación a la minería aurífera es otro. La corona ordena y acuerdan los obispos, que "no se apartarán los indios directe ni indirecte, de aquello que agora hacen para sacar el oro, antes los animarán, y aconsejarán, que sirvan mejor que hasta aquí en el sacar el oro, diciéndoles que es para hacer guerra a los infieles, y

---

48 "La economía de la iglesia americana" 102.

49 Equivocadamente Giménez Fernández asevera: "Hasta 1513 no existió en América Obispo alguno, siendo el primero en arribar allá fray Diego [sic, Pedro] Suárez de Deza, O.P. Obispo de la Concepción en la isla española...", "La política religiosa" 172. Al escribir esas líneas, los hermanos Juan Augusto y Salvador Perea ya habían aducido que Alonso Manso había sido el primer obispo católico en América. *Early Ecclesiastical History of Puerto Rico* 22; *Orígenes del episcopado* 17; y, *Revista de historia de Puerto Rico* 93. Los Perea estiman que Manso llegó a la isla a mediados de 1513. Huerga insiste en que arribó antes, el 25 de diciembre de 1512. *La implantación de la Iglesia* 50. Bartolomé de las Casas también consignó la primicia de Manso: "El primer obispo que de los nombrados arriba y primeros de todas las Indias, que... vino consagrado fue el licenciado D. Alonso Manso...". H.I., l.3, c.35, t.2, p.553.

50 Vicente Murga Sanz, & Alvaro Huerga, *Episcopologio de Puerto Rico, Don Alonso Manso, primer obispo de América (1511-1539)* (Universidad Católica de Ponce, 1987).

51 Prien, *La historia del cristianismo* 131.

52 *La colonización de Puerto Rico* 240, 391, 409 y 431.

las otras cosas que ellos vieren que podrán hacer aprovechar para que los indios trabajen bien".

La retórica de cruzada anti-islámica parece absurda, pero no lo es. Aunque en esos momentos había pocas posibilidades prácticas de que la cristiandad recuperase militarmente la tierra santa —la ofensiva pertenecía por entonces a los otomanos islamitas— el residuo retórico ideológico de la cruzada, lo que Alain Milhou ha llamado el "mito de la cruzada",[53] se resistía a morir. El rey Fernando sabía utilizar para su provecho político su título de "rey de Jerusalén". Aunque no proveía rentas fiscales, sí tenía beneficios políticos y de prestigio ideológico. Además, algo que no escapaba al taimado monarca, si la explotación minera se subordinaba retóricamente a los ideales de la cruzada, las riquezas obtenidas, gracias a las bulas papales de cruzada, quedaban libres de los impuestos o diezmos eclesiásticos, un pecunio financiero que no dejaba de ser ventajoso.[54]

No olvidemos que las *Capitulaciones* van acompañadas, a manera de anejos, de los decretos papales de Alejandro VI de 1493, a los que hemos aludido, en los que el papa Borgia amonesta a los reyes católicos a evangelizar a los nativos americanos: "os mandamos... procuréis enviar a las dichas tierras firmes e islas hombres buenos temerosos de Dios, doctos, sabios y expertos, para que instruyan a los susodichos naturales y moradores en la fe católica... poniendo en ello toda la diligencia que convenga",[55] lo cual lógicamente conlleva el promover su bienestar espiritual.

Esta orden misionera papal proviene de la percepción colombina idílica inicial sobre los nativos como "gentes que viven en paz, y andan... desnudos... y no comen carne... y parecen asaz aptos

[53] Milhou, Alain. *Colón y su mentalidad mesiánica en el ambiente franciscanista español* (*Cuadernos colombinos*, No. 9) (Valladolid: Casa-Museo de Colón/Seminario Americanista de la Universidad de Valladolid, 1983) 290.

[54] *Colón y su mentalidad* 367. Véase la sección dedicada a la "bula de la santa cruzada" en el ensayo de Escobedo Mansilla, "La economía de la Iglesia" 130-133.

[55] Alejandro VI, *Inter caetera* (4 de mayo de 1493), en Las Casas, *Tratados* 1287.

para recibir la fe católica y ser enseñados buenas costumbres",[56] entendiéndose por "buenas costumbres" la moral católica europea. Una de las mayores ironías de la historia es ciertamente que la concepción evangelizadora de la conquista de América y la insistencia en el objetivo misionero de la empresa militar que se cernió sobre la vida y el destino de millones de nativos, proceden de la firma de un Papa que no se distinguió precisamente por la exaltación de principios y valores religiosos y espirituales.[57] El hecho a resaltarse, sin embargo, es que la conquista y cristianización de América surgen abrigados de la pasión y el celo misioneros. El signo ideológico del dominio europeo sobre las tierras americanas se nutre del mandato evangelizador final del Cristo resucitado: "Id y haced discípulos a todas las naciones" (Mt. 28:19). La pasión evangelizadora, demostrada por los franciscanos a lo largo y ancho del territorio mexicano [más vasto entonces que ahora, cercenado desde 1848 por el Tratado de Guadalupe][58] y por los jesuitas en sus famosas reducciones guaraníes [también en una región mayor que la actual República de Paraguay, acortada por el convenio luso-castellano de 1750],[59] que generaría lo que Justo González ha catalogado como "la más rápida y extensa expansión del cristianismo que la iglesia hubiera conocido",[60] se hace presente en el nacimiento mismo de la consideración europea acerca del destino

---

[56] Las Casas, *Tratados* 1285. Sobre las bulas alejandrinas, véase Luis N. Rivera Pagán, *Evangelización y violencia: La conquista de América* (San Juan: Ediciones Cemí, 1992, tercera edición) 41-51.

[57] De este Sumo Pontífice escribiría su contemporáneo Pedro Mártir de Anglería: "Aquel nuestro Alejandro, escogido para servirnos de puente hacia el cielo, no se preocupa de otra cosa que de hacer puente para sus hijos [carnales] —de los que hace ostentación sin el menor rubor—, a fin de que cada día se levanten sobre mayores montones de riquezas... Estas cosas... provocan náuseas en mi estómago". "Al conde de Tendilla", Epístola 173, del 9 de abril de 1497, *Epistolario* (estudio y tr. de José López de Toro), en *Documentos inéditos para la historia de España*, vol. 9, t. 1 (Madrid: Imprenta Góngora, 1953) 329-330.

[58] Edwin E. Sylvest, Jr., *Motifs in Franciscan Mission Theory in Sixteenth Century New Spain Province of the Holy Gospel* (Washington, D. C.: Academy of American Franciscan History, 1975).

[59] Alberto Armani, *Ciudad de Dios y ciudad del sol: El "Estado" jesuita de los guaraníes (1609-1768)* (México, D. F.: Fondo de Cultura Económica, 1988).

[60] *Y hasta lo último de la tierra* 51.

del Nuevo Mundo.

Sin embargo, al ponerse la primera piedra de la iglesia institucional, la corona así encomendada instrumentaliza la jerarquía eclesiástica para que sirva de incitadora de la minería aurífera, en una época en que se hacía evidente la renuencia, y en ocasiones abierta resistencia, de los nativos a someterse al carácter saqueador de esa faena, igual que el surgimiento de una voz profética que denunciaba la opresión de ese sistema laboral.

De manera alguna, comanda el monarca, deben los obispos permitir que los nativos descuiden la labor minera; por el contrario, deben concebir como esencial función episcopal el estimularles a acometer su servil destino con mayor devoción. La corona indica las posibles justificaciones, destacándose la defensa bélica de la fe, "para hacer guerra a los infieles". Es intransferible deber episcopal el excitar la devoción minera de los nativos, esgrimiendo como acicate el uso de los metales preciosos para enfrentar militarmente a los enemigos de la fe, lo que se refiere en primera instancia a turcos y musulmanes, los aborrecidos adoradores de Alá, poseedores, según juristas europeos, *de facto* pero no *de iure*, de vastos y estratégicos territorios previamente cristianos. No se requiere mucha imaginación para concebir el carácter extraño que revestiría una exaltada predicación episcopal a indígenas taínos a fin de estimular misioneramente sus afanes mineros para usos militares contra unos pueblos —otomanos, árabes, islamitas— absolutamente desconocidos para ellos.

Aunque la rúbrica de guerra contra los infieles alude principalmente a los islamitas, no excluye a los indígenas americanos idólatras que se nieguen a someterse al llamado de obediencia y fidelidad, que en esos momentos se cuajaba en el famoso documento conocido como *Requerimiento*.[61] Será, apuntemos algo

---

[61] El *Requerimiento* exigía de los nativos americanos doble obediencia y lealtad, a la Iglesia y el Papa, por un lado, a la corona castellana, por el otro. Cualquier posterior acto de sublevación podía ser juzgado como doble grave infracción: apostasía religiosa y traición política. Su costo, guerra y esclavitud, era altísimo. Aunque en el texto predominaban los temas y motivos religiosos, su elaboración y puesta en ejecución estaba en manos del Estado. Véase Rivera Pagán, *Evangelización y violencia* 52-61.

generalmente descuidado, gracias a la riqueza minera extraída por arahuacos cubanos que Hernán Cortes podrá lanzarse al asedio de Tenochtitlán, empresa de signo militar que, sin embargo, se justifica por su principal protagonista acentuando la devota intención misionera de "apartar y desarraigar de las idolatrías a todos los naturales destas partes... y que sean reducidos al conocimiento de Dios y de su santa fe católica".[62]

Vemos, por consiguiente, que la ambigüedad que Enrique Dussel ha identificado en el episcopado latinoamericano entre, por un lado, el celo misionero y evangelizador, promotor de la plena humanidad de los pobres y desamparados, y, por otra parte, la avaricia de riquezas que llega al sacrilegio de consagrar la religiosidad cristiana en el altar de Mamón, se encuentra en la matriz misma de la institución eclesiástica en el Nuevo Mundo, algo que Dussel no señala. La pugna entre la fe y el oro, entre la aspiración misionera y el afán comercial, es congénita a la conquista europea de América y conserva incólume su carácter paradójico durante toda la cristiandad colonial. Hay una *agonía* profunda en el interior del alma de la cristiandad colonial, en el sentido en que Miguel de Unamuno recapturó el significado de ese vocablo, como pugna intensa, desgarrador combate entre contrincantes que se saben inseparables, al mismo tiempo agonistas, protagonistas y antagonistas.[63] El pugilato entre la evangelización y los afanes económicos es indisoluble y el intérprete que señale exclusivamente uno de esos polos se arriesga a transformar la complejidad histórica en una fantasía misionera o en una masacre genocida.

Hernán Cortés, el mismo que insiste en la conversión de los nativos como principal motivo de sus afanes, dedica buena parte de sus gestiones a incrementar la hacienda colonial, la oficial y la suya. Su celo evangelizador es innegable, como insisten sus admiradores franciscanos, Toribio Paredes de Benavente o Motolinia y

---

62 Hernán Cortés, *Documentos cortesianos, 1518-1528* (ed. José Luis Martínez) (México, D. F.: Universidad Nacional Autónoma de México - Fondo de Cultura Económica, 1990) 165.

63 *La agonía del cristianismo*, en *Ensayos*, vol. I (Madrid: Aguilar, 1964) 943.

Gerónimo de Mendieta;[64] su codicia es también insaciable, como apunta su compañero de armas Bernal Díaz del Castillo.[65] También Francisco Pizarro sentencia al inka Atahualpa: "Venimos a conquistar esta tierra, porque todos vengáis en conocimiento de Dios y de su santa fe católica... y salgáis de la bestialidad y vida diabólica en que vivís...".[66] Sin embargo, cuando un sacerdote le increpa su falta de diligencia misionera, Pizarro no tiene problemas de conciencia en replicar: "Yo no he venido para estas cosas, he venido para quitarles su oro".[67]

La iglesia americana, en la persona de sus primeros prelados, acepta una doble tarea, cuya conciliación probaría ser un enigma de difícil solución: promover la salvación espiritual de los americanos y propiciar el beneficio material metropolitano. Este sería el conflicto, la agonía en sentido unamuniano, que agitaría a la cristiandad colonial y se mostraría de múltiples maneras durante sus tres siglos de existencia.

La voz profética

Los historiadores de la iglesia hispanoamericana han correctamente ubicado el inicio del episcopado al final de los laberínticos esfuerzos de la corona española para lograr el control de la estructura jerárquica eclesial. Sin embargo, no parecen percatarse de otro factor que acelera los esfuerzos de la corona para establecer la autoridad clerical: el surgimiento dramático de la *voz profética* en

[64] Toribio de Benavente (Motolinia), *Historia de los indios de la Nueva España: Relación de los ritos antiguos, idolatrías y sacrificios de los indios de la Nueva España, y de la maravillosa conversión que Dios en ella ha obrado* (ed. de Edmundo O'Gorman) (México, D. F.: Editorial Porrúa, 1984); Gerónimo de Mendieta, *Historia eclesiástica indiana*, (México, D. F.: Editorial Porrúa, 1980). Cf. Fidel de Lejarza, "Franciscanismo de Cortés y cortesianismo de los franciscanos", *Missionalia hispánica* 5 (1948): 43-136.

[65] *Historia verdadera de la conquista de la Nueva España* (México, D. F.: Editorial Porrúa, 1986).

[66] Francisco López de Jerez, *Verdadera relación de la conquista del Perú y provincia del Cuzco, llamada la Nueva Castilla* (1534) (ed. Enrique de Vedia) t. 26 (Madrid: Biblioteca de Autores Españoles, Ediciones Atlas, 1947) 332-333.

[67] Citado por Prien, *La historia del cristianismo* 65.

la comunidad cristiana colonial.[68] No me parece coincidencia que las *Capitulaciones de Burgos* tengan lugar en el contexto de la crisis de conciencia provocada por la predicación denunciadora comenzada a fines de 1511 por la pequeña comunidad dominica en La Española, por entonces plaza central de la administración territorial. Gracias a los afanes archivistas de Bartolomé de las Casas conservamos la expresión máxima de esa denuncia profética, la famosa homilía de fray Antonio de Montesinos.[69]

A base del texto bíblico "ego vox clamantis in deserto" ("voz que clama en el desierto" (Mateo 3:3, quien a su vez cita de Isaías 40:3), Montesinos arremete contra el maltrato que sufren los nativos americanos, sobre todo en la minería aurífera: "Todos estáis en pecado mortal y en él vivís y morís por la crueldad y tiranía que usáis con estas inocentes gentes. Decid, ¿con qué derecho y con qué justicia tenéis en tan cruel y horrible servidumbre a estos indios...? ¿Cómo los tenéis tan opresos... que de los excesivos trabajos que les dais... los matáis para sacar y adquirir oro cada día?... Tened por cierto que, en el estado en que estáis, no os podéis más salvar que los moros o turcos...".

La homilía creó una verdadera conmoción, pues oyéndola se encontraban las principales autoridades coloniales. No era para menos. Montesinos las clasifica en la misma categoría espiritual que moros o turcos, en ese momento los peores adversarios de la Europa cristiana. Por eso reaccionan catalogándole "de hombre escandaloso, sembrador de doctrina nueva... en deservicio del rey y daño de todos los vecinos...".[70]

El rey Fernando obtiene copia del sermón y expresa al virrey Diego Colón su perturbación, incluyendo su licencia para reprimir al díscolo fraile: "Vi ansi mesmo el sermón que descis que fizo un frayle dominico que se llama Antonio Montesino, e aunquél

---

68 Sobre la voz profética en la conquista de América, véase Luis N. Rivera Pagán, "Prophecy and Patriotism: A Tragic Dilemma," *Apuntes*, 12.2 (verano de 1992): 49-64.

69 La síntesis del sermón de Montesinos procede de Las Casas, *H.I.*, l.3, c.4, t.2, pp.441-442.

70 *H.I.* l.3, c.4, t.2, p.442.

siempre obo de predicar escandalosamente, me á muncho maravi-
llado en gran manera, de descir lo que dixo, porque para descirlo,
nengund buen fundamento de Theología nin cánones nin leyes
thernia, sygund discen todos los letrados... theólogos e canonistas,
e vista la gracia e donación que Nuestro Muy Sancto Padre
Alexandro sexto Nos fizo... por cierto que fuera razón que usáredes
así con el que predicó... de algún rigor porque un yerro fué muy
grande".[71] El monarca ordena que Montesinos y sus colegas guar-
den absoluto silencio sobre el asunto: "Que non fablen en púlpito
nin fuera dél diretya nin yndiretamente mas en esta materia, nin
en otras semexantes... en público nin en secreto...".[72]

El provincial dominico en España, fray Alfonso de Loaysa,
añade su reprimenda. Amen de advertir sobre las posibles consecuencias subversivas de tal predicación ("toda la India, por vuestra
predicación, esté para rebelarse..."), exhorta a sus hermanos de
orden en La Española a "submittere intellectum vestrum" ("subyu-
gad vuestro intelecto"), argumento innumerables veces esgrimido
en beneficio del autoritarismo eclesiástico y político.[73] El intento
de represión fracasa. Por algo los dominicos habían iniciado su
descarga ética con explícita referencia al irreductible Juan el Bautista. Se desencadena así lo que Lewis Hanke llama "la lucha española por la justicia en la conquista de América".[74] El genio profético
se ha escapado de la botella y nunca más reposaría.

Justo L. González ha recalcado, la pertinencia de la rebeldía
ético-teológica de la pequeña comunidad dominica para la historia de la iglesia colonial, contrastando la caricatura típica que el
protestantismo anglosajón tiene de la iglesia hispanoamericana

---

[71] En *Colección de documentos inéditos relativos al descubrimiento, conquista y
organización de las antiguas posesiones españolas de América y Oceanía, sacados de los
Archivos del Reino y muy especialmente del de Indias* (Joaquín Pacheco, Francisco
Cárdenas y Luis Torres de Mendoza, eds.), vol. 32 (Madrid: Imp. de Quirós,
1864-1884) 375-376.

[72] *Colección de documentos inéditos* 377-378.

[73] En Venancio Diego Carro, *La teología y los teólogos-juristas españoles ante
la conquista de América*, vol. I (Madrid: Escuela de Estudios Hispano-Americanos de la Universidad de Sevilla, 1944) 62-63.

[74] Lewis Hanke, *La lucha española por la justicia en la conquista de América*
(Madrid: Aguilar, 1967).

colonial con la polifonía de tonos y melodías vigentes en ella, sobre todo la vigorosa e irreprimible voz profética que se pronuncia desde Montesinos hasta Hidalgo.[75] Pero lo que no se ha acentuado es la relación íntima entre el surgimiento del debate sobre la justicia en América y la constitución del episcopado mediante las *Capitulaciones de Burgos*. Fernando V, para acallar la denuncia profética, se apresta a establecer el episcopado diocesano americano. Sería éste el encargado de vigilar las fronteras de la conciencia cristiana, tratando de evitar que se desborde en proclamas proféticas. Parafraseando lo que Roland Bainton escribe acerca de la Universidad de Yale, podemos decir: El episcopado hispanoamericano fue conservador desde antes de nacer.[76] Se establece para que cumpla las funciones que el estado colonial le adjudica: la cura de las almas y la promoción de la explotación minera.

Las *Capitulaciones* sientan un precedente que mantendrían los sucesores de Fernando V, requerir de los nominados al episcopado un juramento de fidelidad a la corona y la promesa de reconocer y respetar el derecho de patronato real. Lo que no quiere decir que siempre los obispos cumplirán esa función legitimadora. La paradoja interna del episcopado entre su encomienda evangelizadora y su mandato estatal creará tensiones continuas, un conflicto perpetuo de intereses que en ocasiones se resolvería al estilo y manera de los profetas bíblicos. Enrique Dussel, en su voluminoso estudio sobre el episcopado hispanoamericano, documenta esta salida profética, la cual, sea también admitido, en ocasiones se vio apoyada por el polo evangélico de la agónica paradoja similar que se debatía intensamente en el alma de un monarca como Carlos V.

Demos, para concluir, un ejemplo: la recepción que de las *Capitulaciones de Burgos* hizo el más controvertible de los obispos de la cristiandad colonial, Bartolomé de las Casas. El acuerdo de los prelados de estimular el trabajo minero intenso y usar para ello

---

[75] *The Development of Christianity in the Latin Caribbean* 21; *La era de los conquistadores* 61; y, más recientemente, "The Christ of Colonialism", *Church & Society* 82.3 (January/February 1992): 25.

[76] Roland H. Bainton, *Yale and the Ministry: A History of Education for the Christian Ministry at Yale From the Founding in 1701* (New York: Harper & Row, 1957) 1: "Yale was conservative before she was born".

justificaciones religiosas provoca la ira de Las Casas.[77] Ese compromiso parte, según el dominico, de la "ceguedad" que los firmantes tienen sobre "la perdición de aquestas gentes míseras". Los obispos se obligan moralmente a causar la muerte de sus nuevos feligreses, pues la minería aurífera es "pestilencia vastativa de todas sus ovejas". Recupera Las Casas la dialéctica de la homilía de Montesinos entre la minería aurífera y la mortalidad. La extracción del oro es mortal para el cuerpo de los nativos y, a la vez, causa de pecado mortal para los europeos. Tuvieron "poca lumbre" espiritual los futuros prelados, al acceder a promover una actividad que resulta fatal para la población nativa y que además macula indeleblemente el alma de colonos y encomenderos. El acuerdo surge de la "ignorancia" de los obispos, pero éstos debieron haber sido más suspicaces y "no obligar[se] a lo que podía ser injusto y malo... cuanto más que la misma obra les pudiera dar sospecha, diciendo sacar oro y servir". Con su típica ironía se pregunta Las Casas si los obispos pensaban que sacar oro era como coger frutas de los árboles.[78] Para el Obispo de Chiapas, las *Capitulaciones* conllevan una *capitulación*, en la segunda acepción del término (rendición), que los prelados conceden aun antes de adentrarse en la pugna por evangelizar las nuevas diócesis.

Las *Capitulaciones* proceden de la irrupción de la voz profética en la cristiandad colonial, representada por la homilía de Montesinos, como un intento de controlarla mediante el establecimiento de una jerarquía fiel al Estado. A su vez, desencadenan el resurgir de esa misma voz profética que desde el seno de la institución jerárquica —Las Casas era obispo— se torna hacia sí misma en amarga y agónica autocrítica.

---

[77] La reacción de Las Casas se encuentra en *H.I.*, l.3, c.2, t.2, pp.435-438. Murga Sanz y Huerga, en su biografía de Alonso Manso, relatan la indignación del Obispo de Chiapas por la concordia entre los monarcas y los prelados, pero la distorsionan al no indicar la razón. *Episcopología de Puerto Rico* 44-45.

[78] Salvador Brau, cuya opinión del primer obispo de Puerto Rico, Alonso Manso, no es muy favorable, emite un juicio más parco, pero también negativo: "No puede tenerse por excusable el aconsejar a los indios que soportasen el trabajo de las minas en razón a que el oro se destinaba a combatir infieles... Ni al prestigio del trono ni a la dignidad episcopal hacía honor una superchería innecesaria para obtener la cooperación laboriosa de aquellas gentes". *La colonización de Puerto Rico* 205.

Las Casas nunca olvidaría el significado de esas *Capitulaciones* para la estructura eclesiástica. Al final de su agitada vida, en 1566, escribe una dramática epístola a Pío V, recién nombrado Papa,[79] en la que le pide que excomulgue y anatemice a quienes justifiquen la conquista militar de América alegando infidelidad, idolatría, rudeza mental, o conveniencia misionera. En la misiva también pide a Roma que reforme drásticamente al episcopado hispanoamericano. Reclama del Sumo Pontífice que "renovando estos sacros cánones (las normas de conducta episcopal) mande a los obispos de Indias por sancta obediencia que... tengan cuidado de los pobres captivos... y que los dichos obispos defiendan esta causa, poniéndose por muro dellos, hasta derramar su sangre, como por ley divina son obligados...". Los obispos deben asumir la defensa tenaz de los pobres y oprimidos, llegando en ese afán, de ser necesario, según el exigente obispo de Chiapas, hasta el sacrificio de sus vidas.

Ningún sacerdote debe aceptar su nominación al episcopado a menos que el rey y el Consejo de Indias acepten de antemano la función defensora y liberadora de su puesto. Las Casas propone invertir las *Capitulaciones de Burgos*, de manera que la corona y el episcopado acuerden formalmente promover la salvación integral de los pobres y oprimidos. Por último, reclama la restitución de las riquezas ya acumuladas por la joven iglesia americana: "Grandísimo escándalo... es que... obispos y frailes y clérigos se enriquezcan y vivan magníficamente, permaneciendo sus súbditos recién convertidos en tan suma e increíble pobreza...". Es un intento, audaz quizá, desesperado a lo mejor, inútil sin duda, de evitar la complicidad de la jerarquía eclesiástica en las estructuras de injusticia y desigualdad forjándose en América.

La novedad que esa carta representa ha escapado a los lectores de Las Casas.[80] Conlleva una audaz violación del *pase regio*, al comunicarse directamente con el Papa sin pasar por el conducto

---

[79] Se reproduce en *Fray Bartolomé de Las Casas: Doctrina* (ed. de Agustín Yáñez) (México, D. F.: Universidad Nacional Autónoma, 1941) 163-165.

[80] Cf. Isacio Pérez Fernández, O.P., *Inventario documentado de los escritos de Fray Bartolomé de las Casas* (Bayamón, Puerto Rico: Centro de Estudios de los Dominicos del Caribe, 1981) 762-776.

del Consejo de Indias castellano, mecanismo de control estatal que hasta entonces había acatado Las Casas. Es un reclamo de reconstruir la función histórica de la iglesia americana ubicándola, sin ambivalencia ni ambigüedad, en el sendero de la liberación.

Fue el último de los titánicos esfuerzos del Prometeo dominico de llevar el fuego divino a quienes vagaban en espesas tinieblas. La voz profética rasga el manto de los cielos y transfigura así, desde el seno del paradójico episcopado, las penurias de la cristiandad colonial.[81]

---

[81] A pesar de sus sugestivas y provocadoras observaciones, un defecto capital de la obra de Djelal Kadir, *Columbus and the Ends of the Earth*, es su renuencia a percibir los elementos críticos y potencialmente subversivos de la tradición profética bíblica. Kadir confunde con excesiva precipitación el profetismo y las tendencias del monoteísmo apocalíptico a avasallar y aniquilar las culturas y los cultos heterogéneos.

La doctrina de la restitución y la conciencia popular católica española en la conquista de América*

> *Todas las cosas que se han hecho en todas estas Indias, así en la entrada de los españoles en cada provincia de ella como la sujeción y servidumbre en que pusieron estas gentes... ha sido contra todo derecho natural y derecho de las gentes, y también contra derecho divino; y por tanto es todo injusto, inicuo, tiránico y digno de todo fuego infernal y, por consiguiente, nulo, inválido y sin algún valor y momento de derecho.*
>
> Bartolomé de las Casas

Cuando Hernán Cortés arengó sus huestes, el 20 de diciembre de 1520, en la provincia de Tlaxcala, en las vísperas de su asedio a Tenochtitlán, quizá la más famosa de todas las batallas entre españoles y nativos durante la epopéyica conquista de América, afirmó un vínculo estrecho entre su empresa militar y la evangelización de los indígenas. Proclama, en sus ordenanzas militares de Tlaxcala:

> Cuánta solicitud y vigilancia los naturales de esta parte tienen en la cultura y veneración de sus ídolos, de que a Dios Nuestro Señor se hace gran deservicio y el demonio, por la ceguedad y engaño en que los trae es de ellos muy venerado; y en los apartar de tanto error e idolatría, y en los reducir al conocimiento de nuestra santa fe católica... exhorto y ruego a todos los españoles que en mi compañía fueren a esta guerra que al presente vamos, y a todas las otras guerras y conquistas que en nombre de Su Majestad por mi mandado hubieren de ir,

* Ponencia presentada en el simposio Harvesting Between Wheat and Tares, auspiciado por el Program for the Analysis of Religion Among Latinos (PARAL), abril 16-18, 1993, Princeton University. Traducida al inglés, se publicará por PARAL como parte de las memorias de ese encuentro.

que su principal motivo e intención sea apartar y desarraigar de las dichas idolatrías a todos los naturales destas partes... y que sean reducidos al conocimiento de Dios y de su santa fe católica... porque si con otra intención se hiciese la dicha guerra, sería injusta...[1]

La guerra contra los nativos mexicanos se lleva a cabo, de acuerdo a la retórica del discurso cortesiano, por razones estrictamente evangelizadores y misioneras, a fin de combatir la idolatría y promover la expansión de la única fe verdadera, la católica. El paradigma teológico se convierte en norma y criterio que valida la justicia de la empresa militar y nulifica la cuestión fáctica de que el cristiano es el agresor y el infiel el agredido.[2] Cumplir el mandamiento misionero del Jesús resucitado mediante la conquista bélica no suena tan paradójico ni peculiarmente extraño a españoles cultivados por siglos en la ideología religiosa militar de la Reconquista. No es mera coincidencia que Cortés llame "mezquitas" a los templos nativos ni que tuviese en su estandarte una cruz acompañada de la inscripción latina: "Amici, sequamur crucem: si nos fidem habuerimus, in hoc signo vincemus" ("Amigos, sigamos la cruz; y nos, si fe tuviéremos en esta señal, venceremos").[3] La presentación de la cruz era una parafernalia simbólica de la cruzada,

---

[1] Hernán Cortés, *Documentos cortesianos, 1518-1528* (ed. José Luis Martínez) (México, D.F.: Universidad Nacional Autónoma de México - Fondo de Cultura Económica, 1990) 165.

[2] Sobre la conquista de América y su evangelización, véase Luis N. Rivera Pagán, *Evangelización y violencia: la conquista de América* (San Juan: Ediciones Cemí, 3a. ed., 1992). Se tradujo al inglés como *A Violent Evangelism: The Political and Religious Conquest of the Americas* (Louisville, Kentucky: Westminster/ John Knox Press, 1992).

[3] El emblema latino de Cortés lo refiere fray Gerónimo de Mendieta O.F.M. *Historia eclesiástica indiana* (1596) (3a. ed. facsimilar) (México, D.F.: Editorial Porrúa, 1980) l.3, c.1, p.176. Robert Ricard da una versión ligeramente diferente, en *La conquista espiritual de México. Ensayo sobre el apostolado y los métodos misioneros de las órdenes mendicantes en la Nueva España de 1523-24 a 1572* (México, D. F.: Fondo de Cultura Económica, 1986) 75. La traducción que reproduzco la provee Francisco López de Gómara, *Conquista de Méjico. Segunda parte de la Crónica general de las Indias* (Madrid: Biblioteca de Autores Españoles, t.22, Ediciones Atlas, 1946) 301. Una traducción algo distinta ofrece Bernal Díaz del Castillo, *Historia verdadera de la conquista de la Nueva España* (México, D. F.: Editorial Porrúa, 1986) 33.

de acuerdo a la ley canónica medieval.[4] Así la empresa militar adquiere naturaleza misionera.

El vínculo íntimo entre la expansión evangelizadora y la teologización de la guerra justa no logra, sin embargo, ocultar la presencia del deseo de riquezas. La codicia no se aleja mucho de la piedad. En sus ordenanzas militares, tras aseverar el carácter misionero de su arremetida castrense, no olvida Cortés los posibles beneficios pecuniarios del botín y de las mercedes reales: "Porque si con otra intención se hiciese la dicha guerra sería injusta, y todo lo que en ella se hobiese obnoxio e obligado a restitución: e Su Majestad no ternía razón de mandar a gratificar a los que en ella sirviesen".[5]

Es interesante que en medio de una arenga militar asome su cabeza el concepto sacramental de la restitución.[6] Si la guerra se hiciese exclusivamente por fines pecuniarios se torna injusta y el botín caería dentro de la categoría de hurto, de bienes mal habidos, sujetos, de acuerdo a la ley canónica, a restitución. ¡Qué extraño contexto para la enunciación de las categorías propias a la doctrina de la restitución! ¿Qué nos dice esto sobre la conciencia religiosa popular católica española del siglo dieciséis?

Nos dice, ciertamente, que esa conciencia religiosa popular española nunca estuvo drásticamente divorciada de las tradiciones teológicas de la iglesia medieval, como algunos teóricos han afirmado, sea para criticar dicha religiosidad popular o para exhaltar su alegada especificidad. Detrás de la relación que establece Cortés entre la recta intención de sus tropas, que convierte al asedio de Tenochtitlán en guerra justa, y la exención de la obligación de restituir el botín, se encuentran esas tradiciones conceptuales.

---

[4] Cf. James A. Brundage, *Medieval Canon Law and the Crusader* (Madison: University of Wisconsin Press, 1969).

[5] *Documentos cortesianos* 165.

[6] Sobre la doctrina de la restitución, véase N. Jung, "Restitution," *Dictionnaire de théologie catholique, contenant l'exposé des doctrines de la théologie catholique, leurs preuves et leur histoire* (Commencé sous la direction de A. Vacant et E. Mangenot, continué sous celle de É. Amann) (Paris: Librairie Letouzey et Ané, 1937), cols. 2466-2502.

Santo Tomás de Aquino había postulado, en la *Suma teológica*, que el saqueo en una guerra injusta o, incluso, la rapiña maliciosa en una contienda justa, constituye un pecado grave que obliga a la restitución de lo hurtado.

> Si los que saquean a los enemigos hacen guerra justa... no están obligados a la restitución. Sin embargo, aun estos que hacen una guerra justa pueden pecar por codicia al apoderarse del botín, si es mala su intención, esto es si pelean, no por la justicia, sino principalmente por el botín... Y si los que toman el botín lo hacen en una guerra injusta, cometen rapiña y están obligados a la restitución.[7]

El hecho sorprendente de que un comandante militar, un conquistador seglar, incorpore a su arenga *ante bellum* la idea de la restitución, acompañada en la mente de quien habla y quienes escuchan, del complejo sacramental de penitencia, satisfacción y absolución, indica la importancia que la práctica religiosa tenía para la íntima conciencia del español del siglo dieciséis. La violencia podía adquirir tenebrosas dimensiones avasalladoras, pero sólo si lograba vincularse con la piedad popular, si los propugnadores de la conquista militar eran capaces de enarbolar la imaginería religiosidad como sinécdoque simbólica de una empresa global de dominio.

No fueron, sin embargo, los conquistadores *à la Cortés* quienes monopolizaron la invocación a los principios teológicos de la doctrina de la restitución. Durante todo el largo y violento proceso de conquistar las comunidades nativas americanas, se hicieron diversos intentos de restringir la absolución, parte del sacramento de la penitencia, a los conquistadores y encomenderos que expoliaban y despojaban a los indígenas. Bartolomé de las Casas hizo de la liberación de los nativos, y de la restitución y satisfacción de los daños inferidos a éstos, condición indispensable para que el confesante recibiese el *ego te absolvo*, incluso de tratarse de algún moribundo (en cuyo caso exigía un testamento notarizado a los efectos mencionados): "Son todos *in solidum* a restitución obligados. Y no se pueden salvar si en cuanto les fuere posible no los

---

[7] Tomás de Aquino, *Suma teológica* (Madrid: Biblioteca de Autores Cristianos, 1956), 2a-2ae, cuestión 66, artículo 8, ad 1, vol. 8, pp. 508-509.

restituyen, y satisfacen...".[8] Con esa consecuencia penitencial culmina su extenso tratado misiológico *Del único modo*:

> Todos los hombres que son o sean causa de la mencionada guerra mediante algunos de los referidos modos de cooperación, están obligados, con necesidad de medio para su salvación, a restituirles a los mismos infieles damnificados, todo lo que les hayan arrebatado... y a satisfacerles solidariamente, es decir, en total, los daños que les hayan hecho.[9]

Los "avisos a los confesionarios" que redactó como Obispo de Chiapas revelan su proyecto de utilizar la autoridad religiosa sacramental para la liberación de los oprimidos: "Cerca de los indios que se tienen por esclavos... mande el confesor al penitente que luego incontinente los ponga en libertad por acto público ante escribano y que les pague todo lo que cada año, o cada mes, merescieron sus servicios e trabajos, y esto antes que entren en la confesión. Y asimismo les pida perdón de la injuria que les hizo... porque téngase por muy cierto y averiguado... que en todas las Indias desde que se descubrieron hasta hoy, no ha habido ni hay uno ni ninguno indio que justamente haya sido esclavo...".[10]

Había un precedente reciente. El insigne humanista renacentista Desiderio Erasmo, en su popular tratado antibelicista, *Querela pacis* (1517) había sugerido que los sacerdotes no asistiesen a los guerreros moribundos, ni permitiesen que fuesen enterrados en los cementerios eclesiásticos: "Conténtense los heridos en acción de guerra con recibir sepultura profana... Los sacerdotes consagrados a Dios no asistan en lugares donde se haga la

---

[8] "Aquí se contiene una disputa o controversia", en Bartolomé de las Casas, *Tratados* (transcripción de Juan Pérez de Tudela Bueso y traducciones de Agustín Millares Calvo y Rafael Moreno) (México, D. F.: Fondo de Cultura Económica, 1965), vol. 1, p. 439. La frase *in solidum*, que Las Casas repite continuamente, significa que la obligación de restitución se refiere no sólo al provecho privado que cada conquistador, colono o encomendero obtiene, sino a los beneficios adquiridos por todos. Como puede verse, la idea tiene un filo agudísimo.

[9] *Del único modo de atraer a todos los pueblos a la verdadera religión* (México, D.F.: Fondo de Cultura Económica, 1942) 541.

[10] Estos "avisos y reglas para los confesores", redactados probablemente en 1546 y publicados en 1552, se reproducen en el vol. 2 de *Tratados* 852-913. Cito de la p. 879.

66

guerra...".[11] Las Casas no cita a Erasmo, pero esta omisión puede deberse a la campaña que contra el eminente renacentista se desataba en España. Es muy probable que haya leído la *Querela pacis*, de la que se imprimieron diez ediciones en su primer año de publicada y se tradujo prontamente a varios idiomas, entre ellos, en 1520, al español; son evidentes las cercanías teóricas, sobre todo el énfasis en la naturaleza pacífica del evangelio.[12]

La negativa de Las Casas, como Obispo de Chiapas, a conceder absolución de pecados a quienes estuviesen involucrados en las guerras o las encomiendas no era algo nuevo en su pensamiento. No afirmaba cosa alguna que no hubiese aseverado antes pública y oficialmente. De acuerdo a sus propias reflexiones autobiográficas, a raíz de su "conversión", dejó en libertad a los indígenas que tenía encomendados y afirmó categóricamente, en un sermón predicado el día de la Asunción de Nuestra Señora (15 de agosto de 1514), "su ceguedad, injusticias y tiranías y crueldades que cometían en aquellas gentes inocentes y mansísimas; cómo no podían salvarse teniéndolos repartidos ellos y... la obligación a restitución a que estaban ligados...".[13] El tono de la homilía dejaba

---

[11] Erasmo, "Querella de la paz", en *Obras escogidas* (ed. Lorenzo Riber) (Madrid: Aguilar, 1964) 986-987.

[12] Es difícil evitar la impresión de una probable influencia en Las Casas de otros escritos de Erasmo, como sus tratados "Utilísima consulta acerca de la declaración de guerra al turco" (1530) en el cual advierte que tras los motivos religiosos y piadosos para batallar contra los otomanos, puede ocultarse la codicia y el afán de riquezas, y "Ecclesiastes sive concionator evangelicus" (1535), *Opera omnia* (1704), vol. 5, 769-1099 (republicado por The Gregg Press Limited, London, 1962) en el que propugna el método apostólico y pacífico de evangelizar. Al respecto, véase la excelente obra de Marcel Bataillon, *Erasmo y España: estudios sobre la historia espiritual de siglo XVI* (México, D.F.: Fondo de Cultura Económica, 1966).

[13] *Historia de las Indias* (3 vols.) (México, D.F.: Fondo de Cultura Económica, 1951) l.3, c.79, t.3, p.95. Algo similar plantearon en 1518 los frailes dominicos de La Española a los padres jerónimos: "Porque los cargos de los cristianos, han sido é son grandes, y los bienes que por el trabajo de los indios han avido, crehemos que son obnoxios; y restitución nos parece que deben...". *Colección de documentos inéditos relativos al descubrimiento, conquista y organización de las antiguas posesiones españolas de América y Oceanía, sacados de los Archivos del Reino y muy especialmente del de Indias* (42 vols.) (Joaquín Pacheco, Francisco Cárdenas y Luis Torres de Mendoza, eds.), vol. 26 (Madrid: Imp. de Quirós, 1864-1884) 213.

entrever que su acto pretendía tener carácter paradigmático, que aspiraba a convertirse en norma general de conducta.

En 1531, después de pasar varios años enclaustrado en un monasterio dominico en La Española, escribió al Consejo de Indias: "Porque aún hos hago saber que estas naciones, todas quantas acá hay, tienen justa guerra desde el principio de su descubrimiento, é cada día han crescido más é más en derecho é justicia hasta hoy, contra los cristianos... E sepan más que no ha havido guerra justa ninguna hasta hoy de parte de los cristianos, hablando en universal... é aquí se sigue que ni el Rey ni ninguno de quantos acá han venido ni pasado han llevado cosa justa ni bien ganada, é son obligados a restitución... Y es tan verdad, que no dubdo más della que del Santo Evangelio".

Es de fijarse que en esta epístola, de carácter oficial y formal, la iniquidad de lo adquirido y la obligación de plena restitución cubre también a la casa real. Las autoridades españolas, por su jurisdicción en la administración de las Indias, son responsables de restituir lo mal ganado, aún de no haber participado en tales ganancias ilícitas: "Sois obligados a restitución de todos los bienes é riquezas que los otros á estas gentes roban, aunque á vuestro poder no llegue una blanca".[14] Esa idea no la abandonará. La reitera a Bartolomé Carranza, jerarca eclesiástico muy cercano a la corona, en 1555: "a esto, en raxon y fuerça de neçessaria restituçion y satisfaçion, son los reyes de Castilla constreñidos",[15] y en su misiva final al Consejo de Indias (1565): "Todos los pecados que se cometen tocante a esto en todas aquellas Indias, y daños e inconvenientes infinitos que de allí se siguen, y la obligación a restituir dellos, resulte sobre la conciencia de S. M. y deste Real Consejo, y que no puedan llevar un solo maravedí de provecho de aquellos reinos, sin obligación de restituir".[16]

---

[14] Antonio María Fabié, *Vida y escritos de don Fray Bartolomé de Las Casas, Obispo de Chiapa* (2 vols.) (Madrid: Imprenta de Miguel Ginesta, 1879). Reproducidos en la *Colección de documentos inéditos para la historia de España*, tomos 70 y 71, t. 70 (Vaduz: Kraus Reprint, 1966) 478, 483.

[15] *Colección de documentos inéditos* 71: 418.

[16] Bartolomé de las Casas, *De regia potestate o derecho de autodeterminación* (ed. por Luciano Pereña *et al.*) (*Corpus Hispanorum de Pace*, v. VIII) (Madrid: Consejo Superior de Investigaciones Científicas, 1969) 280-281.

Más que denuncia encolerizada, se trata de admonición a la corona para que enderece por senderos de justicia su dominio imperial. Es la búsqueda perennemente frustrada de un régimen imperial justo y benefactor.

El confesionario de Las Casas fue objeto de intensa controversia y censurado acremente por personas tan disímiles como el misionero franciscano Toribio Paredes de Benavente (Motolinia), el humanista cortesano Juan Ginés de Sepúlveda [cortesano en un doble sentido: intelectual de corte y amigo de Cortés] y el teólogo jesuita José de Acosta. Motolinia, uno de los famosos doce misioneros franciscanos que se dieron a la tarea de convertir al catolicismo a millones de nativos mexicanos, en carta al emperador Carlos V, acusó a Las Casas de ser un "pesado, inquieto e importuno y bullicioso y pleitista, en hábito religioso tan desasosegado, tan mal criado y tan injuriador y perjudicial... [quien] tan gravísimamente deshonra y difama, y tan terriblemente injuria y afrenta... una nación española y a su príncipe...".[17] Pide al monarca un consulta a las máximas autoridades teológicas y eclesiales para que desenreden el embrollo espiritual de conciencia que ha creado Las Casas con sus estrictas normas sobre la obligación de restitución. No lejos de la disputa teológica, sin embargo, yace la política: una radicalmente diferente evaluación de la proeza conquistadora de Hernán Cortés, quien para Motolinia fue gestor y promotor de una labor apostólica, de génesis providencial: "Por este capitán nos abrió Dios la puerta para predicar su Santo Evangelio...".[18] El cortesianismo de los franciscanos se expresa sin tapujos en la obra

---

[17] Fray Toribio de Benavente (Motolinia), "Carta al Emperador Carlos V" (2 de enero de 1555), apéndice a Toribio de Benavente (Motolinia), *Historia de los indios de la Nueva España: Relación de los ritos antiguos, idolatrías y sacrificios de los indios de la Nueva España, y de la maravillosa conversión que Dios en ella ha obrado* (ed. de Edmundo O'Gorman) (México, D. F.: Porrúa, 1984) 208, 214. Sin embargo, en una obra anterior a su amarga epístola contra Las Casas, Motolinia había recalcado, en tono intenso, la obligación en que estaban los conquistadores y colonos de restituir lo que con mala conciencia habían obtenido del sudor y sangre de los indígenas "porque todas estas cosas serán traídas y presentadas en el día de la muerte, si acá primero no se restituyen...", *Historia de los indios de la Nueva España*, tratado 3, c. 11, p. 167.

[18] *Historia de los indios de la Nueva España, tratado 3, c.11, p.* 221.

de Motolinia, como lo hará en su sucesor Mendieta.[19] Es una historiografía en la que la pasión evangelizadora se toma de manos con
la apología de Cortés.

Sepúlveda, cronista de la corte, y muy cercano también a
Hernán Cortés, por su parte, se las agenció para que Las Casas
fuese acusado de traición ante el Consejo Real y de herejía ante la
Inquisición.[20] En carta al príncipe Felipe, del 23 de septiembre de
1549, escribe sobre su acérrimo adversario, en deliciosa mezcolanza
de castellano y latín: "Lo que toca al confessionario del Obispo de
Chiapa [Las Casas] y a mi libro [*Demócrates segundo*] que todo viene
a ser un negoçio de dos partes contrarias la una es los Reyes de
España, cuya causa justissima sustenta mi libro, la otra los hombres apasionados en este negoçio cuyo caudillo es el Obispo de
Chiappa como lo a sido en otras negoçiaçiones semejantes, '*ut est
homo natura factiosus, et turbulentus*'" ("porque es hombre de naturaleza facciosa y turbulenta").[21]

En especial, atacó la "séptima regla" del confesionario
lascasiano, la cual propugnaba: "Todas las cosas que se han hecho
en todas estas Indias, así en la entrada de los españoles en cada
provincia de ella como la sujeción y servidumbre en que pusieron
estas gentes... ha sido contra todo derecho natural y derecho de las
gentes, y también contra derecho divino; y por tanto es todo injusto, inicuo, tiránico y digno de todo fuego infernal y, por consiguiente, nulo, inválido y sin algún valor y momento de derecho".[22]

Escribiendo años después de la muerte de Las Casas, el teólogo jesuita Acosta arremete, sin mencionarla por nombre, contra la
postura lascasiana sobre la restitución, censurando a quienes "bajo

[19] Fidel de Lejarza, "Franciscanismo de Cortés y cortesianismo de los
franciscanos", *Missionalia hispánica* 5 (1948) 43-136.

[20] Véase el tratado antilascasiano de Sepúlveda, "Proposiciones temera-
rias, escandalosas y heréticas", en Fabié, *Vida y escritos de Las Casas*, 71: 335-
351.

[21] Ángel Losada, *Juan Ginés de Sepúlveda a través de su "Epistolario" y nuevos
documentos* (Madrid: Consejo Superior de Investigaciones Científicas, 1949)
202. Mi traducción de la frase latina.

[22] "Aquí se contienen unos avisos y reglas para los confesores", *Tratados*
2: 873.

especie tal vez de piedad ponen duda en el derecho de nuestros reyes, y de su gobierno y administración, moviendo disputa sobre el derecho y título conque los españoles dominan a los indios". Acosta no se conforma con replicar teológicamente, exhorta a las autoridades a aplicar mano fuerte contra tales disputadores, pues si se les permite diseminar impunemente sus críticas, "no se pueden decir los males y ruina universal que seguirá".

Típico del pensamiento de Acosta, insiste en que Dios actúa en la historia haciendo de la violencia y la injusticia canales de difusión paradójica de su gracia. El imperio romano fue opresor y explotador, pero al doblegar violentamente a muchos pueblos, creó el contexto necesario para la expansión rápida del evangelio por todo el mundo civilizado clásico antiguo. Igualmente, el imperio español, por el conducto de la violencia nada recta de un Pizarro permitió la diseminación eficaz y veloz del cristianismo entre los infieles americanos.

Ante todo le preocupa a Acosta el problema creado por Las Casas sobre la restitución, pues toca de cerca a la conciencia católica popular. Insiste en que "ni se puede ya restituir, porque no hay a quién hacer la restitución, ni modo de efectuarla...".[23] En resumen, la obligación de restitución, de haber existido alguna vez, ya prescribió. Además, nada debe hacerse que debilite la hegemonía española sobre América, pues de ese dominio depende la estabilidad de la fe cristiana en los territorios conquistados.

Aunque la controversia alrededor de su confesionario fue un momento nada agradable para el tenaz fraile dominico, ninguna de las dos acusaciones —herejía y traición— prosperó. No pudo evitar, sin embargo, Las Casas que el 28 de noviembre de 1548 se emitiese una Cédula Real a la Audiencia de Nueva España mandando a recoger todas las copias del confesionario.[24] Nunca estuvo

---

[23] José de Acosta, *De procuranda indorum salute* (1589) (Madrid: Consejo Superior de Investigaciones Científicas, 1952) 185-188.

[24] La reproduce íntegramente Juan Manzano Manzano, *La incorporación de las Indias a la corona de Castilla* (Madrid: Ediciones Cultura Hispánica, 1948) n. 25, 166. Escuetamente sentencia Marcel Bataillon: "En esta cuestión del Confesionario, el obispo de Chiapas fue vencido". *Estudios sobre Bartolomé de las Casas* (Barcelona: Península, 1976) 30.

en situación tan delicada. Hasta el final de su vida, sin embargo, mantuvo sin claudicar la corrección teológica y moral de su doctrina de restitución.[25]

Las Casas hace de la restitución obligada de todo lo habido por hurto, despojo o saqueo, la norma crucial para la acción sacramental de la iglesia en América.[26] En su "Tratado de las doce dudas", desarrolla con vigor la tesis de que la postura de la iglesia debe juzgarse primariamente en referencia a ese asunto: "si los religiosos y predicadores amonestan en sus sermones a los que tienen lo ajeno, que restituyan y hagan penitencia, y lo mismo en las confesiones y pláticas familiares..." y si condicionan la participación en la eucaristía y la sepultura cristiana a esa misma norma.[27]

Encontramos en este punto el eje temático central que imparte unidad a la actividad pastoral lascasiana. Desde su sermón ante Diego Velázquez, el "día de la Asunción de Nuestra Señora" (15 de agosto de 1514), en Cuba, hasta su petición al Papa Pío V, en 1566, la restitución se presenta como requisito indispensable para la consecución de la justicia terrenal y la salvación espiritual. En el sermón insiste en la "obligación a restitución en que estaban ligados" sus oyentes;[28] en la petición solicita que el Sumo Pontífice recuerde a los "obispos, y frailes y clérigos", enriquecidos en América, "ser obligados por ley natural y divina... a restituir todo el oro, plata y piedras preciosas que han adquirido...".[29] Aquí el filo

---

[25] La reitera, por ejemplo, en su "Carta a los dominicos de Chiapa y Guatemala", *De regia potestate* 235-250.

[26] No fue el único teólogo español del siglo dieciséis en interesarse en la doctrina de la restitución. Véase, por ejemplo, la extensa sección que Domingo de Soto dedica al tema. *De la justicia y del derecho* (1556) (4 vols.). (intr., Venancio Diego Carro; tr., Marcelino González Ordoñez) (Madrid: Instituto de Estudios Políticos, 1967-68), l. 4, cuestión 6-7, t. 2, pp. 327-381. Su conclusión principal es que: "La restitución de lo robado es de tal manera necesaria, que sin ella nadie puede perseverar en la gracia de Dios, ni recuperarla", *De la justicia y del derecho* 331.

[27] "Tratado de las doce dudas", en Bartolomé de las Casas, *Obras escogidas* (ed. Juan Pérez de Tudela Bueso) (Madrid: Biblioteca de Autores Españoles, Ediciones Atlas, 1958) t. 105, pp. 517-522.

[28] *H.I.*, l.3, c.79, t.3, p.95.

[29] La petición al Papa se reproduce en Agustín Yáñez (ed.), *Fray Bartolomé de Las Casas: Doctrina* (México, D. F.: Universidad Nacional Autónoma, 1941) 161-163 y como apéndice XV en Las Casas, *De regia potestate* 284-286.

de la doctrina sacramental se vuelve agudo y cortante hacia la misma institución eclesiástica, exigiendo de la iglesia severa austeridad en la vida material que sea símbolo de solidaridad con aquellos que Las Casas cataloga como los más pobres de los pobres de Cristo.[30] El enriquecimiento de las instituciones eclesiásticas, tópico escandaloso para el Obispo de Chiapas, surge, entre otras cosas, por el uso interesado que la iglesia hacía de la alternativa que el derecho canónico toleraba de restituir a los lugares sagrados la obligación de reparar daños inferidos cuando la víctima no era identificable con precisión o había dejado de existir. La conciencia de culpa que laceraba la conciencia de conquistadores y colonos se descargaba en ofrendas a veces substanciales a las entidades eclesiales.

Las Casas agudiza en sus textos el principio, antes mencionado, que postulaba Santo Tomás de Aquino, a saber que el saqueo en una guerra injusta o, incluso, la rapiña maliciosa en una contienda justa, constituye un pecado grave que obliga a la restitución de lo hurtado. Lo hace al mutar de contexto el principio tomista y ubicarlo en el inicio de la colosal epopeya de dominio imperial que en pocos siglos llevaría a cabo la Europa cristiana sobre el resto del globo terráqueo. De esa manera, Las Casas, frente a la modernidad avasalladora de pueblos y culturas distintas, reclama una legalidad divina que se revela impertinente y obsoleta ante la mirada inclemente de un imperio que reclama la evangelización como emblema ideológico, pero que, en realidad, se apoya sobre las tres grandes invenciones tecnológicas que propulsan la modernidad imperial: la brújula, o el poder de invadir e intervenir con rapidez pueblos lejanos; la pólvora, o el poder de destruir letalmente a esos pueblos invadidos e intervenidos; y la imprenta, o el poder de colonizarlos intelectual y espiritualmente.[31] Para

[30] Véase al respecto la obra de Gustavo Gutiérrez, *En busca de los pobres de Jesucristo: el pensamiento de Bartolomé de las Casas* (Lima: Instituto Bartolomé de las Casas - Centro de Estudios y Publicaciones, 1992).

[31] Fue Francis Bacon quien se percató de la hegemonía mundial que esta trinidad de inventos prorcionaba a Europa sobre el resto del planeta: "El arte de imprimir, la pólvora y la aguja de marear... han cambiado la faz y el estado del orbe de la tierra: la primera en las letras, la segunda en la guerra, la tercera

intentar contener esa arrolladora fuerza conquistadora que convierte en adversaria a la "barbarie idólatra", Las Casas acude al poder espiritual tradicional, la iglesia.

Al utilizar el concepto sacramental de la restitución para enfrentar eclesialmente el carácter avasallador de la conquista, Las Casas se acercó, más que nadie en el siglo dieciséis, al umbral de una teología negadora de la identificación entre la cristianización del ecúmeno global y el dominio colonial europeo. Su intención era hacerlo desde la intimidad misma de la conciencia religiosa popular. En ello consistió su titánica, y frustrada, sisífica, tarea.[32]

En el ocaso de su larga y pugnaz existencia, Las Casas trató infructuosamente de persuadir al Papa de que utilizara la poderosa arma de la excomunión contra los opresores de los nativos americanos y sus legitimadores teóricos: "A V.B. humildemente suplico que haga un decreto en que declare por descomulgado y anatemizado cualquiera que dijere que es justa la guerra que se hace a los infieles, solamente por causa de la idolatría, o para que el Evangelio sea mejor predicado, especialmente a aquellos gentiles que en ningún tiempo nos han hecho ni hacen injuria. O al que dijere que los gentiles no son verdaderos señores de lo que poseen".[33]

---

en la navegación; de donde se han seguido innumerables cambios...". El cambio cualitativo, como bien articula Bacon, estriba en el poder. Francis Bacon, *Novum organum* (Buenos Aires: Editorial Losada, 1961) 168-169.

[32] Cf. Rivera-Pagán, *Evangelización y violencia*, c.4 y Vidal Abril-Castelló, "La bipolarización Sepúlveda-Las Casas y sus consecuencias: La revolución de la duodécima réplica", en Demetrio Ramos *et al*, *La ética en la conquista de América (Corpus Hispanorum de Pace*, vol. XXV) (Madrid: Consejo Superior de Investigaciones Científicas, 1984) 229-288.

[33] En Yáñez, *Fray Bartolomé de Las Casas* 161-162 y el apéndice XV en *De regia potestate* 284-286. Luciano Pereña considera que una carta de fines de 1566 de Pío V, escrita en italiano y enviada al nuncio papal en Madrid, Juan Bautista Castagna, arzobispo de Rosario, en la que el Sumo Pontífice insiste en el buen trato a los nativos americanos es una posible respuesta al planteamiento lascasiano. La reproduce como apéndice XVI en *De regia potestate* 287-292. Información útil sobre la petición de Las Casas y la carta de Pío V la suple Isacio Pérez Fernández, O.P. *Inventario documentado de los escritos de Fray Bartolomé de las Casas* (Bayamón, Puerto Rico: CEDOC, 1981) 762-776.

El intento de Las Casas de condicionar la absolución de los pecados a la restitución de las iniquidades cometidas contra los indígenas nos parece hoy anacrónico e ineficaz. No puede olvidarse, sin embargo, que en el siglo dieciséis se consideraba la absolución una misericordia eclesiástica imprescindible en el instante inminente de la muerte. Era común en el populacho católico la creencia de que si antes de fenecer se confesaban los pecados, incluyendo los más espantosos, y se lograba el perdón sacramental, el alma podría evadir los tormentos perpetuos del infierno. Lo que estaba en juego, de acuerdo a la mentalidad religiosa contemporánea, revestía trascendental significado para el destino eterno personal.

La restricción de la absolución a conquistadores y encomenderos conlleva una idea básica y central, tanto en múltiples textos bíblicos como en las reflexiones críticas de toda teología que se ubique en el horizonte de la emancipación de los expoliados: la incompatibilidad entre la opresión del pobre y la participación en los sacramentos. Se retoma, por Las Casas y otros frailes la idea tan evangélica como profética de "misericordia quiero, y no sacrificio" (Oseas 6:6 y Mateo 9:13). La práctica de la opresión contradice el objetivo soteriológico testimoniado por el culto. Sobre este punto darían los frailes una batalla destinada a la derrota, pero que sirve de memorial dramático e indeleble de solidaridad evangélica.

La prohibición del confesionario de Las Casas no disipó la idea de utilizar el poder sacramental contra conquistadores, encomenderos y colonos. Marcel Bataillon encontró en el Archivo Histórico Nacional de España una carta que un fraile dominico, Bartolomé de la Vega, escribió al responsable interino del episcopado de Cuzco, fray Pedro de Toro, el 3 de julio de 1565. Vega retoma con fuerza la idea de prohibir la absolución no mediada por la penitencia y restitución de quienes han participado en la opresión de los indígenas del Perú.

> A ninguno de los nombrados es lícito absolver más que a Judas... *Omnes praefati indigni sunt absolutione...* ("todos los susodichos son indignos de absolución") De manera que en manos de Vuestra Paternidad está... remediar el Perú con no dar licencia a ningún clérigo ni frayle para que absuelva

adalguna de las dichas personas... La razón es porque sin causa an tomado la hazienda y señorío y libertad de los yndios.[34]

El papel crucial jugado por la religiosidad popular, en conjunción con las tradiciones sacramentales de la iglesia católica en el siglo dieciséis, es algo que no es tomado en cuenta frecuentemente por los historiadores, incluso de filiación cristiana. Al acentuar el inicio de la modernidad con el descubrimiento y la conquista de América, Enrique Dussel descuida el hecho significativo: que es una modernidad que no ha cobrado plena conciencia de su secularidad.[35] Se siente obligada todavía a entenderse y expresarse con imágenes y conceptos que apelen a la conciencia e imaginación religiosa del pueblo español. La imaginería social típica de la época es aún configurada por las tradiciones religiosas medievales.

[34] *Estudios sobre Las Casas* 311-314 (mi traducción de la frase latina). Se ha constatado la influencia que la postura lascasiana sobre la obligación de restitución como condición indispensable para obtener la absolución sacramental tuvo en muchos sectores de la iglesia hispanoamericana. Cf., Guillermo Lohmann Villena, "La restitución por conquistadores y encomenderos: Un aspecto de la incidencia lascasiana en el Perú", *Anuario de estudios americanos* 23 (1966): 21-89. Me parece, sin embargo, que Lohmann exagera la "pulcritud ética" y la "virtud eximia" de los "caballeros cristianos" que al acercarse la hora de su muerte penaban sus malandanzas mediante actos de restitución, reparación y composición. No toma en cuenta el carácter formulista, vacuamente reiterativo, de las expresiones de contrición, todas sospechosamente similares; ni se toma la molestia, cosa que admito sería extremadamente fatigosa, pero metodológicamente esencial, de investigar si tales promesas se cumplían al pie de la letra por los albaceas y sucesores. No estoy muy seguro tampoco de que esas fórmulas sean expresivas de la "sensibilidad ética" que en ellas encuentra Lohmann. Hay otra posible perspectiva algo más escéptica, o quizá cínica: Quienes no tuvieron muchos escrúpulos en hacer lo que fuese necesario para alcanzar en el reino terrenal nombradía y riquezas, en su postrer momento pugnan por ganar también el celestial. Ciertamente es una manera de reafirmar la importancia crucial de los símbolos religiosos en la conciencia popular católica española del siglo dieciséis.

[35] Enrique Dussel, *1492: El encubrimiento del otro (Hacia el origen del "mito de la modernidad")* (Santafé de Bogotá, Colombia: Ediciones Antropos, 1992). Mayor conciencia de esa paradoja —una modernidad que requiere sacralizar con imágenes y símbolos religiosos tradicionales la ingente acumulación capitalista— refleja la conclusión de la erudita obra de Alain Milhou dedicada a esclarecer el contexto religioso de la España descubridora y conquistadora. Alain Milhou, *Colón y su mentalidad mesiánica en el ambiente franciscanista español* (*Cuadernos colombinos*, No. 9) (Valladolid: Casa-Museo de Colón/Seminario Americanista de la Universidad de Valladolid, 1983).

En ello estriba su peculiar paradoja: una modernidad que se adelanta y propone en aras de las tradiciones religiosas. Para comenzar a percibir el perfil de esa paradoja hay que aplicar al escrutinio de los documentos y textos centrales de la conquista española de América el principio metodológico que señala Michel de Certeau respecto a una época algo posterior en Francia: "El estudio de documentos pertinentes a las prácticas religiosas de los siglos diecisiete y dieciocho debe tener alguna relación con el análisis de los discursos ideológicos o simbólicos".[36] Es lo que aquí hemos intentado hacer con las maneras como la doctrina sacramental de la restitución funcionó en textos y documentos de protagonistas destacados del colosal encuentro entre invasores e invadidos en nuestra América en el nacimiento mismo de Hispanoamérica.

---

[36] Michel de Certeau, *The Writing of History* (New York: Columbia University Press, 1988) 147.

La indígena raptada y violada*

La Chingada es la Madre violada... la atroz encarnación de la condición femenina. Si la Chingada es la representación de la Madre violada, no me parece forzado asociarla a la Conquista, que fue también una violación, no solamente en el sentido histórico, sino en la carne misma de las indias.

Octavio Paz

Alberto Flores Galindo ha escrito que para los nativos americanos, en el siglo dieciséis, *el encuentro con los europeos fue sinónimo de muerte.*[1] Algo similar afirmó, en 1576, el franciscano Bernardo de Sahagún, en su famosa y prohibida obra *Historia general de las cosas de Nueva España*, quien tras observar que al llegar los españoles a la *"India Occidental"*, encontraron "diversidades de gente... innumerable gente...", asevera que de éstas "ya muchas se han acabado y las que restan van en camino de acabarse".[2]

El problema con algunas excelentes obras que estudian la filosofía moral de los intensos debates acerca del Nuevo Mundo es que se mantienen al nivel de la abstracción teórica, sin preguntarse por los efectos concretos para la vida y existencia de los moradores originales. Autores de incisivo sentido crítico, que desmenuzan los tratamientos tendenciosamente apologéticos y panegíricos

---

* Versiones previas de este trabajo se publicaron en *Pasos* (Departamento Ecuménico de Investigaciones, San José, Costa Rica), segunda época, 42 (julio-agosto, 1992): 7-10 y *Guamo* (sección puertorriqueña de Amnistía Internacional), 2 (noviembre de 1992): 7-9.

[1] *Buscando un inca: Identidad y utopía en los Andes* (Lima: Instituto de Apoyo Agrario, 1987) 39.

[2] Fray Bernardino de Sahagún, *Historia general de las cosas de Nueva España* (México, D.F.: Editorial Porrúa, 1985), l.11, cc. 12-13, pp. 706-710.

del imperio hispano, concluyen, en última instancia, con una elegía al triunfo del espíritu trascendente de libertad y justicia en la teoría española del justo gobierno indiano, sin someter esa visión al crisol de fuego de sus consecuencias históricas para la existencia de los seres a cristianizarse y civilizarse.[3] Estos permanecen siempre como objetos de las diatribas; nunca logran emerger como sujetos y protagonistas históricos. La historia es, empero, más cruel que los debates sobre la crueldad: Mientras se llevaban a cabo las disputas teóricas entre teólogos, juristas, oficiales de la corte y de la iglesia, procedía irreversiblemente el trágico quebrantamiento de las antiguas culturas indígenas y el aniquilamiento de los pobladores autóctonos.

Punto clave en cualquier apreciación de los intensos debates que acompañaron la conquista de América tiene que ser la experiencia histórica concreta, real, de los vencidos. Es difícil sustentar la peregrina tesis de que los relatos de sus vejaciones no son sino una "leyenda negra" creada falsamente por los enemigos protestantes, ingleses y holandeses, de España. Los testimonios contemporáneos que vinculan estrechamente la muerte de los nativos y la codicia violenta de los recién llegados son innumerables y abrumadores. Reiteran lúgubremente las distintas maneras en las que la sangre de los primeros se transforma en riqueza para los segundos.

Una dimensión de la dignidad humana en disputa en los textos españoles de las postrimerías del siglo quince y la primera mitad del dieciséis, relativos a la conquista ibérica de América, es la condición de *la mujer indígena*. La concupiscencia sexual acompaña a la violencia bélica y al despojo de la riqueza. Aunque para algunos especialistas, en su mayoría varones, constituye un tema a lo sumo marginal, no considero apropiado dejarlo en el tintero, por la importancia que tuvo en la traumática confrontación entre

---

[3]   Ejemplo eminente es la obra de Venancio Diego Carro, *La teología y los teólogos-juristas españoles ante la conquista de América* (2 vols.) (Madrid: Escuela de Estudios Hispano-Americanos de la Universidad de Sevilla, 1944), estudio clásico sobre los diferendos éticos en la conquista española de América, en el cual las víctimas, los nativos americanos brillan por su ausencia.

europeos y nativos.[4] De acuerdo a un historiador actual, *las formas más originarias de la esclavitud de los indios las encontramos en los raptos de mujeres indígenas*.[5]

Bartolomé de las Casas, al narrar la misteriosa muerte de los hombres que Cristóbal Colón había dejado, al final de su primer viaje, en el Fuerte Navidad, en La Española, insinúa que una causa principal de su asesinato fue la ofensa cometida contra los indígenas "tomándoles sus mujeres y hijas, que es con lo que más se injurian y agravian...".[6] Este es uno de los pocos eventos en que coincide plenamente el relato del fraile dominico con el de su rival, Oviedo y Valdés. Dice éste último sobre el asunto:

Los treynta y ocho hombres que dexó el almirante en el primero viaje quando descubrió esta tierra é isla; á los quales todos avian muerto los indios, no pudiendo sufrir sus exçessos, porque *les tomaban las mugeres é usaban dellas a su voluntad*, é les haçian otras fuerças y enojos, como gente sin caudillo é desordenada.[7]

---

[4] Georg Friederici es una excepción. En su opinión: "Una parte considerable de los casos de comercio sexual entre españoles e indias reducíase a violaciones y atropellos; es una larga historia que no cesa, desde los días de la colonia de Arana en Haití hasta la última gran expedición de la conquista, la de la fundación de las Misiones de la Alta California". *El carácter del descubrimiento y de la conquista de América: Introducción a la historia de la colonización de América por los pueblos del Viejo Mundo*, vol. I (México, D.F.: Fondo de Cultura Económica, 1986 —original alemán de 1925) 417. Sobre el tema en general, véase Jalil Sued Badillo, *La mujer indígena y su sociedad* (2da. ed.) (Río Piedras: Editorial Cultural, 1989).

[5] Fernando Mires, *En nombre de la cruz: discusiones teológicas y políticas frente al holocausto de los indios (período de conquista)* (San José: Departamento Ecuménico de Investigaciones, 1986) 93.

[6] *Historia de las Indias* (3 vols.) (México, D.F.: Fondo de Cultura Económica, 1951), v.1, l.1, c.86, t.1, p.358 (en adelante *H.I.*). Esta versión parece proceder del cacique Goacanagarí. La considera correcta Sued Badillo, *Los caribes: realidad o fábula. Ensayo de rectificación histórica* (Río Piedras: Editorial Antillana, 1978) 59-60.

[7] Gonzalo Fernández de Oviedo y Valdés, *Historia general y natural de las Indias, islas y tierra firme del mar Océano* (publicada parcialmente en 1535 y 1547) (Madrid: Real Academia de Historia, 1851-1855) parte 1, l.2, c. 8, t.1, p.35. El primero en sugerir esta causa de la muerte de los hombres del Fuerte de la Navidad parece haber sido el Dr. Chanca, acompañante de Colón en el segundo viaje. Cf. "Carta del Dr. Chanca", en Martín Fernández de Navarrete, *Colección de viajes y descubrimientos que hicieron por mar los españoles, desde fines del*

Las Casas atribuye los encontronazos violentos entre españoles y nativos, en el contexto del segundo viaje del Almirante, a los "sensuales viciosos" de los primeros al "tomarles las mujeres y las hijas por fuerza, sin haber respeto ni consideración a persona ni dignidad ni a estado ni a vínculo de matrimonio... sino solamente a quien mejor le pareciese y más parte tuviese de hermosura...". También menciona la ofensa que constituyó la violación de la esposa del cacique Guarionex. Igualmente entiende que una de las causas de la famosa rebelión del cacique Enriquillo, en La Española, fue que el español al que estaba encomendado "procuró de violar el matrimonio del cacique y forzalle la mujer...".[8]

Como parte de la campaña propagandística que hace Colón para enaltecer ante la corona castellana las islas antillanas y, por tanto, su propia proeza, destaca la belleza fabulosa de las mujeres aborígenes: "Es tierra de los mayores haraganes del mundo, e nuestra gente en ella no ay bueno ni malo que no tenga dos y tres indios que lo sirvan... y mujeres atán fermosas, que es maravilla".[9]

---

s. XV. (Madrid, 1825-1837, 5 vols.); (Buenos Aires: Editorial Guaranía, 1945) v.II, p.342: "Creemos quel mal que les vino fue de zelos". Esto quiere decir que los primeros mestizos, engendros de la unión entre españoles e indígenas seguramente nacieron durante la segunda mitad de 1493, frutos de la violenta violación de mujeres indias realizada por los hombres del fuerte de la Navidad. Recordando un pasaje muy conocido de la más famosa obra de Octavio Paz, podemos decir que fueron literalmente *hijos de la chingada.* Paz distingue la expresión soez mexicana *hijos de la chingada* de la española *hijos de puta* en un texto clásico para el perenne tema del mestizaje latinoamericano. La frase mexicana expresa con fuerza dramática e insoslayable claridad, de la que carece la ibérica, la pavorosa angustia de la mujer nativa violentada y violada. *El laberinto de la soledad* (México, D.F.: Fondo de Cultura Económica, 1987) 67-80.

   [8] *H.I.,* l.1, c.100, t.1, p.399; "Brevísima relación de la destruyción de las Indias", en Bartolomé de las Casas, *Tratados* (México, D.F.: Fondo de Cultura Económica, 1965) v.1, p.25; *H.I.,* l.3, c.125, t.3, p.260.

   [9] *Textos y documentos completos: relaciones de viajes, cartas y memoriales* (ed. de Consuelo Varela) (Madrid: Alianza Editorial, 1982) 225. La violación de la mujer indígena tuvo una consecuencia inesperada y nefasta para los europeos: la plaga de la sífilis que desde fines del siglo quince hizo estragos en Europa, dispersada por los aventureros marineros tras sus correrías por el Nuevo Mundo. Oviedo opina que esa enfermedad debía llamarse *mal de Indias,* no *mal francés* o *mal de Nápoles,* como se conocía en el siglo dieciséis. *Historia general y natural,* pt.1, l.2, c.14, t.1, p.55. Friederici la cataloga "el peor de los regalos

Fue tema que prendió; Pedro Mártir de Anglería lo reitera.

Al aproximarse [Bartolomé Colón y sus hombres] saliéronles primeramente al encuentro treinta mujeres... desnudas por completo, excepto las partes pudendas que tapan con unas como enaguas de algodón. Las vírgenes, en cambio, llevan el cabello suelto por encima de los hombros, y una cinta o bandeleta en torno a la frente, pero no se cubren ninguna parte de su cuerpo. Dicen los nuestros que su rostro, pecho, tetas, manos y demás partes son muy hermosas y de blanquísimo color, y que se les figuró que veían esas bellísimas Dríadas o ninfas salidas de las fuentes, de que hablan las antiguas fábulas.[10]

Américo Vespucio no puede quedarse atrás y añade a la fabulosa belleza descrita por Colón y Mártir la pimienta de una extrema concupiscencia femenina aborigen. Su descripción, incluida en la popular epístola *Mundus novus*, debe haberle subido la temperatura a muchos lectores: "Siendo sus mujeres lujuriosas hacen hinchar los miembros de sus maridos de tal modo que parecen deformes y brutales y esto con cierto artificio suyo... Andan desnudas y son libidinosas... Cuando con los cristianos podían unirse, llevadas de su mucha lujuria, todo el pudor de aquellos manchaban y abatían".[11] Es parte de la literatura fantasiosa de ese florentino aven-

---

que de América recibió Europa". *El carácter del descubrimiento*, v.I, p.251. Hoy se ha puesto en duda el alegado origen americano de la sífilis. Véase al respecto, Samuel Eliot Morison, *Admiral of the Ocean Sea: A Life of Christopher Columbus*, vol. 2 (Boston: Little, Brown, and Co., 1942) 193-218 y Alfred W. Crosby, "The Early History of Syphilis: A Reappraisal", en su libro *The Columbian Exchange: Biological and Cultural Consequences of 1492* (Westport, CO: Greenwood Press, 1972) 122-164. Por sus terribles consecuencias y su etiología venérea, la sífilis provocó reacciones similares a las que hoy estimula el síndrome de inmuno deficiencia adquirida.

10   *Décadas del Nuevo Mundo* (México, D.F.: Porrúa, 1964) Década 1, 1.5, t.1, p.154. La desnudez de los nativos antillanos estimuló también otro tipo de reflexión, con serias consecuencias históricas: puede interpretársele como señal de inocencia —en el *Génesis*, antes de su acto de desobediencia a Dios, Adán y Eva carecían de vestiduras y es su rudimentaria ropa lo que delata su transgresión— o de salvajismo y barbarie. Pronto se impuso la segunda línea de reflexión, que permitiría la sujeción cultural; la primera apuntaba hacia un horizonte utópico que requeriría la auto-superación crítica.

11   En la edición de Roberto Levillier, *El Nuevo Mundo, cartas relativas a sus viajes y descubrimientos* (Buenos Aires: Editorial Nova, 1951) 181-185. Todavía en las postrimerías de la conquista, durante el tercer tercio del siglo dieciséis,

turero y poco veraz cuya imaginación conocía pocos límites.[12]

Más allá, o más acá, sin embargo, de esos relatos idílicos y fantasiosos, estaba la realidad de la brutal violencia ultrajadora de los conquistadores e invasores. Un relato quechua afirma que el inca Manco II se sublevó contra Pizarro "por los malos tratamientos y burlas que se chocarreaba del Inca y de los demás señores de este reino. A vista de todos les tomaban sus mujeres e hijas y doncellas con sus malas opiniones y con poco temor de Dios...".[13] El cronista, acompañante de Cortés en la conquista de México, Bernal Díaz del Castillo admite que "les habíamos tomado muchas hijas y mujeres de algunos principales [indígenas]...".[14] La conquista erótica de las indias era la fiel sombra de la militar, la religiosa y la social.

Abundan las declaraciones y cédulas reales que pretenden inútilmente, en la tradición de la ficción jurídica que intenta regular la violencia colonial, evitar el rapto de mujeres nativas. Los Reyes Católicos ordenan a Nicolás de Ovando, gobernador entonces de las Indias, el 16 de septiembre de 1501, que "porque somos informados que algunos cristianos de las dichas Islas, especialmente de La Española, tienen tomadas a los dichos indios sus mujeres e hijas y otras cosas contra su voluntad, luego como llegáredes, daréis orden como se les vuelvan... y si con las indias se quisieren casar, sea de la voluntad de las partes y no por de fuerza".[15]

---

el jesuita Acosta añadiría su voz al coro de los que voceaban la lujuria de la nativas, sólo que la suya llevaba un tono de rígida censura. "La lascivia y procacidad de las indias es terrible, y todo pudor desconocido". *De procuranda Indorum salute* (1588) (ed. Francisco Mateos, S.J.) (Madrid: Colección España Misionera, 1952) l.4, c.14, p.381.

[12]   Hay una interminable discusión acerca de la autenticidad de los escritos atribuidos a Vespucio. El verdadero problema, en mi opinión, es el de su veracidad. Sus escritos difundieron eficazmente los mitos acerca de la barbarie de los nativos suramericanos, entre ellos su alegado feroz canibalismo y la insaciable lujuria de sus mujeres.

[13]   *El reverso de la conquista: relaciones aztecas, mayas e incas* (16ta. reimpresión) (México, D.F.: Editorial Joaquín Mortiz, 1987) 153.

[14]   *Historia verdadera de la conquista de la Nueva España* (México, D.F.: Editorial Porrúa, 1986) c.157, p.374.

[15]   Konetzke, *Colección de Documentos para la historia de la formación social de Hispanoamérica* (Madrid: Consejo Superior de Investigaciones Científicas,

Fernando, en sus instrucciones a Pedrarias Dávila (11 de agosto de 1513) le advierte que evite la repetición en la tierra firme de los abusos cometidos en La Española contra las nativas: "Porque soy informado que una de las cosas que más les ha alterado en la ysla Española y que más les ha enemistado con los christianos ha seydo tomarles las mugeres e fijas contra su voluntad y husar dellas como de sus mugeres aviendolo de defender que no...".[16]

Son innumerables los relatos y testimonios sobre tales abusos. Quizá uno de los más dramáticos es el incluido en una misiva que un grupo de frailes dominicos y franciscanos enviaron a un consejero de Carlos V: "Cada minero se tenía por uso de echarse indiferentemente con cada cual de las indias que a cargo tenían y le placía, ahora fuese casada, ahora fuese moza; quedándose él con ella en su choza o rancho, enviaba al triste de su marido a sacar oro a las minas, y en la noche, cuando volvía con el oro, dándole palos o azotes, porque no traía mucho, acaescía muchas veces atarle pies y manos como a perro, y echarlo debajo de la cama y él encima con su mujer".[17]

El dominico fray Pedro de Córdoba, testigo del trato recibido por los nativos durante las primeras décadas del dominio hispano, escribe a la corona en 1517 una epístola en la que se manifiesta el via crucis de sus mujeres: "Las mugeres fatigadas de los trabajos han huido el concebir y el parir; porque siendo preñadas o paridas,

1953-1958), v. I, p. 5. Como lo evidencia la última instrucción de esta cédula, los españoles, a diferencia de los anglosajones, que pusieron toda clase de obstáculo a los matrimonios con los indígenas de América del Norte, propugnaron, al menos en la ficción jurídica de los ordenamientos legales, el casamiento con las nativas. Los Reyes Católicos, en otra cédula de 1503, ordenan al Gobernador de las Indias: "que asimismo procure que algunos cristianos se casen con algunas mujeres indias, y las mujeres cristianas con algunos indios, porque los unos y los otros se comuniquen y enseñen, para ser doctrinados en las cosas de nuestra Santa Fe Católica...". Konetske, *Colección de Documentos* I: 12. El destino de los mestizos, clasificados en distintas castas con pintorescos nombres, no era, a pesar de la letra de la ley, muy lisonjero.

[16] Reproducido por Francisco Morales Padrón, *Teoría y leyes de la conquista* (Madrid: Ediciones Cultura Hispánica, 1979) 94.

[17] "Carta que escribieron varios padres de las Ordenes de Santo Domingo y San Francisco, residentes en la isla Española, a Mr. de Xevres", en fray Pedro de Córdoba, *Doctrina cristiana y cartas* (Biblioteca de Clásicos Dominicanos, vol. 3) (Santo Domingo: Fundación Corripio, 1988) 180.

no toviesen trabajo sobretrabajo, en tanto que muchas, estando
preñadas, han tomado cosas para mover e han movido las criatu-
ras, e otras despues de paridas, con sus manos han muerto sus
propios hijos, por no los poner ni dejar debajo de tan dura servidumbre".[18]

El Emperador, en una capitulación de 1521 concedida a Francisco de Garay para lograr el dominio de cierta región americana,
le insta a que respete a las mujeres de los indígenas, utilizando el
mismo lenguaje que siete años antes usase su abuelo: "Una de las
cosas que más les ha alterado en la ysla Española y que más les ha
henemistado con los cristianos a seydo tomarles las mugeres...".[19]
Igual amonestación hace el Emperador a Hernán Cortés, en sus
instrucciones acerca del tratamiento a recibir los indígenas mexicanos recientemente sometidos: "Porque soy ynformado que una
de las mas principales cossas e que mal les a alterado en la ysla
española e que mas les a enemistado con los Xrianos aseido tomarles las mugeres e hijas o criadas que tienen en sus cassas contra su
voluntad, e usar dellas como de sus mugeres aveis de defender que
no se haga en ninguna manera...".[20]

A pesar de todas esas amonestaciones, en 1539, un grupo de
frailes protesta en misiva a Carlos V que en la evangelización de la

---

[18] "Carta al rey" 133, en Pedro de Córdoba, *Doctrina cristiana* 159. Algo
similar, en fecha concurrente, escribe Pedro Mártir de Anglería: "Las madres
encinta, dicen, toman abortivos para dar a luz antes de tiempo, por considerar
que el fruto de sus entrañas irá a parar en esclavo de los cristianos". *Décadas del
Nuevo Mundo*, déc. 3, l.8, t.l, p.363. Eso no impide que el autor ponga buena
cara y en su dedicatoria de esa década al papa León X afirme piadosamente
que "gracias a estos descubrimientos, la religión cristiana, cuyo supremo lugar
ocupas, extenderá sus brazos al infinito... y las regiones todas de aquella tierra
serán atraídas poco a poco de la ferocidad y salvajismo a la vida civilizada y a la
verdadera religión. *Décadas*, déc. 3, l.8, t.l, p.315.
[19] Demetrio Ramos Pérez, "El hecho de la conquista de América", en
Demetrio Ramos *et al.*, *La ética en la conquista de América* (Madrid: Consejo
Superior de Investigaciones Científicas, 1984) 51.
[20] "Instrucciones que se dieron a Hernando Cortés, Gobernador y Capitán General de Nueva España, tocante á la población y pacificación de aquella
tierra y tratamiento y conversión de sus naturales", en *Colección de documentos
inéditos relativos al descubrimiento, conquista y organización de las antiguas posesiones
españolas de Ultramar* (segunda serie, 24 vols.), vol. 11 (Madrid: Real Academia
de Historia, 1885-1931) 175-176.

Florida hay que evitar la entrada de españoles seglares, los cuales además de alimentarse mediante el saqueo de las haciendas de los nativos intentan "tomarles las mujeres y hijas, lo cual es en grandísima manera aborrecible... como dicen indias que de allá trajeron los españoles y agora llevamos".[21]

Alvar Nuñez Cabeza de Vaca, en su relación sobre su infeliz gobernación de la provincia del Río de la Plata, alega que una de las causas para que los oficiales hispanos se sublevaran contra él y lo depusieran del mando fue su negativa a permitirles aprovecharse de "cien muchachas" que los nativos les habían entregado para su servicio y "que hiciesen de ellas lo que solían de las otras que tenían". La prohibición, alega, tuvo como objetivos "evitar la ofensa que en esto a Dios se hacía y por no dejar a sus padres descontentos y la tierra escandalizada a causa de ellos...".[22]

Lo dicho hasta ahora no niega el que los mismos indígenas en ocasiones entregasen a los españoles mujeres, algo que algunos etnólogos tildan de "prostitución hospitalaria" y otros de "préstamo hospitalario". Cortés relata que "Mutezuma... [le dio] una hija suya, y otras hijas de señores a algunos de mi compañía...".[23] Esto aparenta haber sido un esfuerzo por parte de caciques y señores aborígenes de entablar relaciones de alianza con los poderosos recién llegados (cosa que no era, por otra parte extraña a las cristianas cortes de Europa, como queda revelado por los matrimonios, de prioritarios objetivos políticos, impuestos a las hijas de los Reyes Católicos, María, Isabel, Juana y Catalina, entre ellos los famosos enlaces de ésta última con Arturo y Enrique, los dos herederos de la corona inglesa, de trágicos resultados para la infeliz princesa e insospechadas consecuencias internacionales). La más famosa de estas *mujeres regaladas* fue la azteca Malintzin (la Malinche, para los mexicanos, Doña Marina para los españoles). Cortés no tuvo problema alguno en aceptar tan generosos

---

[21] Mariano Cuevas, *Documentos inéditos del siglo XVI para la historia de México* (México, D.F.: Porrúa, 1975) 89-90.

[22] "Comentarios", en del mismo autor, *Naufragios y comentarios* (1552) (México, D.F.: Editorial Porrúa, 1988), c. 73, p. 180.

[23] *Cartas de relación* (México, D.F.: Editorial Porrúa, 1985) 54.

presentes. Su escrúpulo religioso consistía exclusivamente en asegurarse que tales mujeres fuesen bautizadas.[24]

Se trató de contener los abusos contra las nativas de manera legislativa y como parte de las Leyes Nuevas, de 1542, encontramos el siguiente apartado: "Cualquiera persona que... [a un] indio o le tomare su mujer o hija o le hiciere otra fuerza o agravio, sea castigado...".[25] La reiteración de decretos y pronunciamientos oficiales que insisten en el buen trato a las mujeres indígenas son buena clave del poco frecuente respeto y acatamiento que recibían en la práctica. La mujer indígena y vencida, víctima del acoso del vencedor, se enfrentó múltiples veces al trágico dilema de rechazar el hostigamiento del macho conquistador y sufrir el castigo correspondiente, que podría incluso ser la muerte, o someterse y reducirse al nivel ínfimo de objeto promiscuo de gratificación sexual.[26]

Fray Diego de Landa, dominico inquisidor de los nativos de Yucatán, relata el vía crucis de una orgullosa mujer maya que aceptó como su destino personal la primera alternativa: "El capitán

---

24 Véase, por ejemplo, Díaz del Castillo, *Historia verdadera* c.52, pp.89-90. La Malinche ha sido tema clave en la literatura mexicana sobre el "carácter nacional", el cual oscila entre la Malinche —la gran puta— y la Guadalupe — la gran virgen. Además de la aludida obra de Octavio Paz, son sugestivos algunos relatos de Carlos Fuentes incluidos en su obra *El naranjo, o los círculos del tiempo* (México, D. F.: Alfaguara, 1993), quien destaca el poder extraordinario de la Malinche gracias a su versatilidad lingüística como la mediadora-intérprete entre Cortés y los príncipes nativos. La traductora/traidora teje los hilos de la venganza contra los machos que la han sometido a la servidumbre. El feminismo mexicano alza bandera de reivindicación reinterpretando la Malinche como la mujer oprimida que se desquita de sus dominadores nativos mediante sus trágicas alianzas con el conquistador.

25 Citado por Luciano Pereña Vicente, *Misión de España en América (1540-1560)* (Madrid: Consejo Superior de Investigaciones Científicas, 1956) 4.

26 Es la cruel disyuntiva que en *Las troyanas*, de Eurípides, lamenta Andrómaca, la viuda de Héctor, prisionera de los helenos: "Esta fue mi desgracia... Caída en el cautiverio de los vencedores, luego el hijo de Aquiles puso en mí los ojos y quiso hacerme suya... ¡Ah, si hoy a mi Héctor tan amado dejo en el silencio y doy mi alma al que está presente... seré tenida por malvada, que olvida al amor antiguo! Pero, si desdeñosa me muestro con mi dueño de ahora, me tildarán de pérfida, me tendrá aborrecimiento él. Eurípides, *Las diecinueve tragedias* (México, D.F.: Porrúa, 1983) 274.

Alonso López de Ávila prendió una moza india y bien dispuesta y gentil mujer, andando en la guerra de Bacalar. Ésta prometió a su marido, temiendo que en la guerra no la matasen, no conocer otro hombre sino él y así no bastó persuasión con ella para que no se quitase la vida por no quedar en peligro de ser ensuciada por otro varón, por lo cual la hicieron aperrear".[27]

Miguel de Cuneo, por su parte, describe, en carta a un amigo, de "macho a macho", la corrupción moral que ha efectuado en una bravía mujer caribe: "Estando yo en el bote tomé a una caníbala bellísima, que el señor Almirante me regaló; y teniéndola yo en mi cuarto, estando ella desnuda según su costumbre, se me abrió la gana de holgar con ella. Y queriendo poner en ejecución mi deseo, ella no quería y me trató de tal manera con las uñas, que yo, entonces no hubiese siquiera querido hacomenzado. En vista de lo cual, para contaros en qué paró todo aquello, tomé una soga y la azoté muy bien, por lo que lanzaba gritos inauditos, que nunca podréis creer. Finalmente, nos pusimos de acuerdo de tal forma, que en el "hecho" parecía amaestrada en la escuela de las rameras".[28]

En ocasiones, la mujer indígena peleó con valentía y fiereza por su libertad y dignidad, incluso en ocasiones desesperadas y sin perspectiva alguna de victoria. Un autor anónimo de Tlatelolco destaca el arrojo final de las nativas en el triste momento en que el asedio de Tenochtitlán llegaba a su culminación: "Fue cuando quedó vencido el tlatelolca, el gran tigre, el gran águila, el gran guerrero. Con esto dió final conclusión la batalla. Fue cuando también lucharon y batallaron las mujeres de Tlatelolco lanzando sus dardos. Dieron golpes a los invasores; llevaban puestas insignias

[27] *Relación de las cosas de Yucatán* (México, D.F.: Biblioteca Porrúa, no. 13, 1978) c.32, p.56.

[28] "Carta a Jerónimo Annari", 15 de octubre de 1495, editada por Fernando Portuondo en *Revista de la Universidad de La Habana* 196-197 (1972): 264. El original se reproduce en *Raccolta di documenti e studi pubblicati dalla r. commissione colombina pel quarto Centenario della scoperta dell'America* (12 vols.) (Roma: Ministero della Publica Istruzione, 1892-1894) v.3, t.2, pp.95-107. En traducción ligeramente distinta, esta parte de la carta la cita también Tzvetan Todorov, *La conquista de América: la cuestión del otro* (México, D. F.: Siglo XXI, 1987) 56.

de guerra. Sus faldellines llevaban arremangados, los alzaron para arriba de sus piernas para poder perseguir a los enemigos".[29]

Luego vino la derrota.[30]

---

[29] "Relato de la conquista por un autor anónimo de Tlatelolco" (1528), en Sahagún, *Historia general* 818.

[30] La versión inicial de este trabajo concluía: "Luego vino la derrota definitiva". Rigoberta Menchú nos ha enseñado, sin embargo, que lo realmente definitivo es la resistencia de los "pueblos profundos". Su testimonio evidencia no sólo la continuidad del profundo sufrimiento de las mujeres nativas americanas; también se inserta en la herencia de su lucha y voluntad de persistir. Relata una ceremonia de transición de niña a mujer, en que la joven dice ante su comunidad: "[S]eré una madre, sufriré mucho, mis hijos también sufrirán mucho, muchos de mis hijos se irán a morir antes de ser mayores ya que así es nuestra situación, ya que los blancos nos han hecho esto. Me costará aceptar ver mis hijos muertos, pero tendré que seguir así, ya que nuestros antepasados tuvieron que soportar todo esto y *no se rindieron de ver esto, y nosotros tampoco* (énfasis añadido). Rigoberta Menchú y Elizabeth Burgos, *Me llamo Rigoberta Menchú y así me nació la conciencia* (10a. ed.) (México, D.F: Siglo XXI, 1994) 96.

Un libro significativo*

Las muchas gentes y naciones del Nuevo Mundo... que apenas tienen entendimiento humano; sin ley, sin rey, sin pactos, sin magistrados ni república... andan también desnudos, son tímidos y están entregados a los más vergonzosos delitos de lujuria y sodomía...

José de Acosta

La apreciación de la vida cultural y espiritual de las comunidades humanas que habitaban las Antillas comienza desde el mismo primer viaje de Cristóbal Colón. Sensación causó la carta de febrero de 1493 en la que el Almirante llamó la atención hacia los seres que, en sus palabras, "andan todos desnudos, hombres y mugeres asi como sus madres los paren; aunque algunas mugeres se cobrian un solo lugar con una foja de yerba ó una cosa de algodón que para ello hacen".

La desnudez de los arahuacos antillanos fue objeto de opuestas consideraciones. Podía ser señal de prístina inocencia —no se olvide que en el *Génesis* la inicial falta de vestidura de Adán y Eva así lo era. Dios reconoce la ocurrencia del pecado por la vestidura de los primigenios progenitores de la humanidad. El mito del noble salvaje o ser humano natural tiene en las referidas primeras observaciones colombinas un asidero que aún se niega a morir.

---

* Me correspondió, por cortesía del autor, presentar el libro de Anthony Stevens-Arroyo, *Cave of the Jagua: The Mythological World of the Taínos* (Albuquerque, NM: University of New Mexico Press, 1988), al público académico puertorriqueño el 26 de enero de 1992, en el Centro de Estudios Avanzados de Puerto Rico y el Caribe, en acto presidido por el Rector del Centro, Dr. Ricardo Alegría. Esta presentación, que se publicó originalmente en la *Revista de Ciencias Sociales* XXIX.1-2 (enero-junio 1990):277-283, se reproduce aquí con ligeras modificaciones.

Pero, la desnudez también puede ser señal de salvajismo, de incultura, igual que de violación del pudor que exige la conciencia de la universalidad del pecado. En 1494, Colón decide no prestar atención al testimonio unánime de los indios sobre la insularidad de Cuba, pues no debe hacerse caso de *gente desnuda*. Una de las primeras reglamentaciones (1503) que adopta la corona sobre sus nuevos súbditos es la de vestirlos: "Otrosí mandamos que el dicho Gobernador y las personas que por él fueren nombradas para el dicho cargo, trabajasen con los dichos indios por todas las vías que pudieren, para que se vistan y anden como hombres razonables...".

El vestir ropa es indicación de vivir como *hombres razonables*; el no hacerlo, por el contrario, evidencia salvajismo o incluso, como algunos españoles afirmaron en el siglo dieciséis, bestialidad. En las primeras observaciones colombinas sobre los nativos de nuestras tierras yace *in nuce* el debate sobre historia, sociedad y naturaleza que habría de sacudir al mundo intelectual europeo y que, no puede olvidarse, serviría de filantrópica justificación para el naciente imperialismo occidental. Las apreciaciones divergentes sobre la relación entre la vida natural y la social, entre la naturaleza y la historia, estimularían desde la *Utopía* de Tomás Moro la imaginación utópica en los europeos, pero también propiciarían el etnocentrismo eurocentrista que ha permeado la modernidad "civilizadora".

Colón no se conforma con hacer las obvias referencias a la desnudez de los taínos. También estrena inéditas facultades de apreciación antropológica y pontifica sobre la religiosidad nativa: "Y allende desto se farán cristianos... Y no conocían ninguna secta ni idolatría, salvo que todos creen que las fuerzas y el bien es en el cielo...". Este juicio sobre la falta de idolatría y la supuesta disposición a la conversión cristiana de los taínos hace concluir a Colón su famosa misiva con un cántico de alabanza a la santísima Trinidad: "Así que pues nuestro Redentor dió esta victoria a nuestros ilustrísimos rey e reina é a sus reinos famosos de tan alta cosa, adonde toda la cristiandad debe tomar alegría y facer grandes fiestas, y dar gracias solemnes a la Santa Trinidad, con muchas oraciones solemnes por el santo ensalzamiento que habrán, en tornándose tantos pueblos a nuestra Santa Fe...".

La misma apreciación de fácil evangelización y abandono rápido de su cultura autóctona subyace el famoso decreto papal de 1493, suscrito por Alejandro VI y conocido históricamente como *inter caetera*, que supone unas comunidades aborígenes no idólatras, pacíficas e inclinadas a la conversión cristiana. Colón, dicho sea de paso, abandonó pronto su visión idílica de los taínos. Pocos años después, al descubrir que muchos no encajaban dentro de su precipitada descripción de "temerosos sin remedio", los tildaría de "gente salvaje, belicosa".

Las distintas y contradictorias evaluaciones de la naturaleza de los nativos continuaron por todo el próximo siglo, simultáneo a la destrucción de su cultura y a su pavoroso colapso demográfico. Con dos botones de prueba podemos ejemplificar la polarización de estimaciones. El misionero dominico Tomás Ortiz sentenciaría sobre ellos con una severidad que hizo historia, juicio que se cobija en las crónicas de Pedro Mártir de Anglería y Francisco López de Gómara: "Son como asnos... son bestiales en los vicios... no son capaces de doctrina... son traidores, crueles y vengativos, que nunca perdonan; inimicísimos de religión, haraganes, ladrones... y de juicios bajos y apocados; no guardan fe ni orden... son cobardes como liebres, sucios como puercos; comen piojos, arañas y gusanos crudos... no tienen arte ni maña de hombres... se tornan como brutos animales; en fin, digo, que nunca crió Dios tan cocida gente en vicios y bestialidades...".

Su hermano en la Orden de los Predicadores, el famoso can del señor, el dominico fray Bartolomé de las Casas, quien dedicó su larguísima existencia a ladrar a Dios contra la irrupción violenta de los lobos que mataban sus más humildes ovejas, les dedicó una sentencia muy diferente en el más vociferante de sus ladridos, la *Brevísima destruycion de las Indias*: "Todas estas universas e infinitas gentes *a toto genero* crió Dios los más simples, sin maldades ni dobleces, obedientísimas y fidelísimas...; más humildes, mas pacientes, más pacíficas e quietas... sin rancores, sin odios, sin desear venganzas, que hay en el mundo... Son (de) vivos entendimientos, muy capaces e dóciles para toda buena doctrina, aptísimos para recebir nuestra sancta fe católica...". Y, finalmente, dedicó enormes esfuerzos a escribir la *Apologética historia sumaria*, que el estudioso mexicano Edmundo O'Gorman considera su *Opus magnum*, y a demostrar la plena racionalidad de los nativos americanos, entre ellos los más cercanos al corazón de Las Casas, los antillanos. Una de las razones, no siempre observada por sus lectores, para la severidad del tono condenatorio que caracteriza el discurso de Las Casas durante las cinco décadas que tronó contra la violencia de la invasión española, es haber sido testigo visual de la muerte de los nativos antillanos. Esa agonía de un pueblo inocente se le clavó profundamente en la conciencia a Las Casas y se convirtió en aguijón que le provocaría a la indignación profética.

Quizá no sería demasiado arriesgado afirmar que el consenso, a fines del siglo dieciséis, cristaliza en la apreciación que hace José de Acosta, en su obra *De procuranda Indorum salute* (1588), tratado esencial para entender la legitimación ideológica de la conquista y la cristianización españolas de América en las postrimerías del primer siglo de la invasión de nuestras tierras. En el prólogo de ese importante libro, Acosta diseña una taxonomía de la barbarie. Se propone clasificar la infinitud de pueblos *bárbaros* o todas aquellas sociedades que en algo se *apartan de la recta razón*, con los que al cabo de una centuria la Europa cristiana occidental ha entablado o se propone entablar vínculos de dominación política, económica y cultural. El objetivo es misionero y polémico: *adversus* Las Casas, sentar el axioma que el grado de barbarie es el factor decisivo para determinar la adecuada correlación entre coerción militar y evangelización cristiana.

La taxonomía es tripartita. En primera instancia, se encuentran los bárbaros menos incultos, entre los que se ubican algunos pueblos asiáticos (Japón, China e India), en ese momento la máxima meta misionera jesuita, pero ninguna de las civilizaciones americanas precolombinas. Luego, Acosta cataloga a los segundos bárbaros, entre quienes clasifica a aztecas e incas. Termina finalmente aludiendo... "a la tercera clase de bárbaros... las muchas gentes y naciones del Nuevo Mundo... que apenas tienen entendimiento humano; sin ley, sin rey, sin pactos, sin magistrados ni república... andan también desnudos, son tímidos y están entregados a los más vergonzos delitos de lujuria y sodomía...". Me parece evidente en cuál categoría quedan clasificados los taínos antillanos. Este menosprecio a la comunidad aborigen antillana, que con Acosta recoge relativo consenso a fines del siglo dieciséis, unido a su trágico colapso demográfico, la relegó a lugar poco privilegiado en los estudios americanos.

Por fortuna, durante las últimas décadas esa situación ha comenzado a corregirse sustancialmente. La historia de esta reivindicación es larga y compleja y debo limitarme aquí a detallar sucintamente algunos de sus jalones centrales, acentuando los más pertinentes a la obra que nos toca introducir.

En primer lugar, importantes hallazgos arqueológicos nos permiten conocer mejor la vida social, económica y cultural de esos pueblos. En interesante conjunción con esos hallazgos y sus interpretaciones, el distinguido profesor cubano de la Universidad de Yale, José Juan Arrom imprimió en 1974 la primera edición crítica del tratado del monje jerónimo fray Ramón Pané. Ese aporte sirvió de estímulo a otras contribuciones de valía, entre ellos, el libro del profesor Arrom sobre la mitología y las artes prehispánicas de las Antillas (1975 y 1989) y la provocadora exégesis que de Pané hizo la profesora Mercedes López Baralt (1976 y 1985).

Otros investigadores abonaron sus esfuerzos académicos al estudio de los taínos. No podemos dejar de destacar en este foro a don Ricardo Alegría, Eugenio Fernández Méndez, Francisco Moscoso y la iconoclasta obra de Jalil Sued Badillo. Mencionar en una misma oración estos cuatro nombres, que de ninguna manera agotan la lista, indica el surgimiento de un nuevo y merecido interés académico en el tema y la diversidad y amplitud de perspectivas y percepciones.

Es en este contexto, que recibimos con júbilo la obra de Antonio Stevens Arroyo, *Cave of the Jagua: The Mythological World of the Taínos*, publicada por la Editorial de la Universidad de Nuevo México en 1988. Ya que el objetivo de esta breve y sencilla alocución es introducir al autor y su obra, traerlos al umbral de esta casa de estudios, con la finalidad de iniciar un diálogo entre el autor, la obra y el mundo académico puertorriqueño, esbocemos algunas ideas que avalen la importancia potencial de ese intercambio intelectual al que me propongo invitarles. Espero no pecar de

94

exageración si les digo que *Cave of the Jagua* ha sido uno de los libros que más me han entusiasmado y estimulado intelectualmente en los últimos años. Y por tres razones que paso a indicar con excesiva brevedad.

Primeramente, Stevens Arroyo trae al análisis de la mitología y la simbología religiosas taínas una impresionante diversidad de instrumentos analíticos. De formación graduada en estudios religiosos y teológicos, tiene el autor la preparación académica y la sensibilidad investigativa para lograr la, en mi opinión, hasta ahora más terminada exégesis de las convicciones y tradiciones religiosas de los taínos. Stevens Arroyo incorpora, siguiendo en ello a la profesora López Baralt, los modernos estudios antropológicos de la mitología de los pueblos aborígenes e indígenas. Sus estudios en religiones comparadas le permiten añadir nuevos matices interpretativos a la obra de López Baralt.

El autor también ha leído y utilizado fértilmente las obras de los estudiosos de las comunidades taínas antillanas, Rouse, Alegría, García Arévalo, Taylor y Sued Badillo, entre otros. En un ambiente académico tan deformado por las tendencias fraticidas, llama la atención su ecuménico irenismo y la respetuosa utilización de los aportes de sus antecesores. Si es cierto que Aristóteles dijo en cierta ocasión que la historia de la filosofía es una secuencia de parricidios, para Stevens Arroyo, por el contrario, la comunidad académica es una de solidaridad en el trabajo y de deudas y gratitudes recíprocas. No falta, sin embargo, debemos aclarar, a Stevens Arroyo, en divergencias que tocan asuntos cruciales, no en las que incumben a minucias, la entereza e integridad para disentir, delimitar distinciones y criticar.

El autor también hace una contribución peculiar: el examen del texto de Pané, tal cual ha sido editado por Arrom, a la luz de las teorías psicoanalíticas identificadas con el nombre de Carl Gustav Jung. Creo que con lo dicho ya he establecido suficiente evidencia para sustentar mi hipótesis: ningún estudioso de la historia de las distintas comunidades humanas que han habitado las Antillas debe dejar de leer, analizar y comentar con atención *Cave of the Jagua* de Antonio Stevens Arroyo.

En segunda instancia, y recordando el contexto histórico que con gruesos trazos dibujé al inicio, la obra de Stevens Arroyo es un aporte de singular importancia en la demostración de que los aborígenes antillanos precolombinos no sólo se formularon las trascendentales interrogantes universales sobre el origen, significado y destino de la existencia humana, natural y social, sino que sus respuestas, vestidas en el ropaje mítico y religioso que parece natural a todo pueblo que inicia su historia espiritual, revela particular grandiosidad que nada tiene que envidiar a la simbología y mitología de pueblo alguno en la antigüedad. A su manera, por consiguiente, y con el instrumental analítico y científico moderno, Stevens Arroyo se ubica, aún sin él reconocerlo explícitamente, del lado de Bartolomé de las Casas, en el intento del fogoso dominico de comparar favorablemente los civilizaciones aborígenes americanas con los logros culturales de la antigüedad clásica grecorromana.

Stevens Arroyo completa y culmina, en el campo de la mitología y la simbología, el juicio que hiciese el profesor Arrom, sobre las artes plásticas taínas. Según Arrom las producciones artísticas que preservamos de los antillanos precolombinos, "bastarían para que se cambien totalmente juicios como *arte rudimentario, ausencia de una verdadera actividad creadora* y *falta de una escultura abundante y variada*... Constituyen (por el contrario), capítulo insospechadamente rico, y que hasta ahora faltaba en el panorama de las artes prehispánicas".

En tono similar, Stevens Arroyo muestra la por demasiado tiempo inatendida riqueza espiritual que se expresa en la simbología mitológica y religiosa de las comunidades taínas. Quizá alguien podría escépticamente hacer la misma observación que en mi libro *Evangelización y violencia: la conquista de América* emití en torno al elogioso juicio de Mercedes López Baralt sobre Ramón Pané, al que califica de "uno de los antropólogos más sagaces del Nuevo Mundo". En ese contexto, indiqué que la realmente sagaz es la profesora López Baralt en su análisis del, en mi opinión no tan sagaz, fraile jerónimo. Creo, sin embargo, que en esta ocasión se trata de extraordinaria sagacidad hermenéutica de Stevens Arroyo que a su vez logra evidenciar una auténtica y profunda riqueza espiritual de los taínos.

Por último, y para no seguir extendiéndome en una introducción que ya amenaza con hacerse intolerablemente larga, *Cave of
the Jagua* es un libro valioso por la osadía de emitir opiniones
controvertibles sobre temas muy susceptibles de polémicas en la
historiografía de la conquista española de las Antillas. Los libros
que más he apreciado y que mayor significado han tenido en mi
formación intelectual han sido justamente aquellos cuyos márgenes
han sido proliferados por mi lápiz con interrogantes, cuestionamientos y expresiones de disidencia. Los márgenes de mi copia de
Cave of the Jagua abundan de manifestaciones de un diálogo crítico
y escrutinizador. Eso, contrario a lo que algunos puedan pensar,
es una virtud, no un defecto. No es cuestión de gustos distintos,
bien reza el dicho latino, "de gustibus non est disputandum". Se
trata, por el contrario, de que todo tratamiento riguroso e inteli-
gente de un problema conceptual importante estimula el debate,
la disidencia, las diferencias de perspectivas e interpretaciones.

Las controversias posibles, para remitirles a un solo punto, se
inician con la primera afirmación del autor en el cuerpo del libro
"The Taínos of the Caribbean islands are extinct" y aún más con
su irrupción debatible en el muy polémico asunto de la causa de
esa alegada extinción. Esboza la hipótesis, que promete ampliar
en el futuro, de que la principal causa del exterminio de los taínos
fue la extrema vulnerabilidad de su sistema agrario en transición,
no la violencia de los invasores hispanos. Es evidente el carácter
disputable de ambas aseveraciones, la de la muerte de los taínos,
recordemos aquí el esfuerzo de Fernández Méndez, al final de su
popular obra sobre la esclavitud y encomienda de los indios
borincanos durante el siglo dieciséis, de mantenerlos indefinidamente en existencia, como la de imputar al modo de producción
agrícola indígena ser el factor principal de su desaparición, cosa
que podría ser cuestionada por una legión de eruditos e investigadores.

No intento entrar de lleno en este último aspecto; en parte
porque no es la ocasión; mi objetivo central es seducirles para que
lean *Cave of the Jagua* y, además, porque la gran mayoría de mis
cuestionamientos se refieren a los primeros cinco capítulos, y en

opinión de este lector y creo que también del autor, son los próximos excelentes siete capítulos los que engloban su valiosa exégesis del cosmos mitológico taíno.

Además, soy autor de un libro, *Evangelización y violencia: la conquista de América,* el cual me consta sin ápice de duda alguna que ha sido a su vez adornado, y quizá violentamente deformado en sus márgenes, por múltiples lectores, de interrogantes, críticas y hasta fulminantes anatemas. En esa navegación por el *mare tenebrosum* de los críticos en nada nos diferenciamos de nuestro distinguido anfitrión, don Ricardo Alegría, cuyo reciente aporte a la historiografía del negro en América ha recibido recensiones de cal y de arena, entre ellas una muy picante del amigo Jalil Sued Badillo.

Una palabra final. Una obra no agota la creatividad del mejor de los autores. Antes de este excelente libro *Cave of the Jagua* Antonio Stevens Arroyo se distinguió por sus valiosos trabajos sobre la realidad histórica de las comunidades puertorriqueñas en la nación norteamericana. Después de este libro, ha incrementado esa hoja de meritorios servicios. En mayo de 1991, en colaboración con don Ricardo Alegría, para mencionar un sólo ejemplo, organizó, dirigió y llevó a feliz culminación un importante seminario, que tuvo lugar en esta magna casa, sobre las relaciones históricas, en el período colonial español, entre las Islas Canarias y las ínsulas del Caribe. Destacados estudiosos canarios, junto a investigadores cubanos, dominicanos y puertorriqueños laboramos intesamente durante tres días sobre un tema tan importante como descuidado. Recientemente ha fundado el Programa para el Análisis de la Religión entre Latinos (Program for the Analysis of Religion Among Latinos - PARAL), dedicado al análisis científico de la religiosidad en las comunidades latinoamericanos en los Estados Unidos. PARAL llevará a cabo la próxima primavera en la Universidad de Princeton su primer simposio sobre el tema que le concierne, el cual esperamos cristalice en publicaciones que abran nuevos caminos hermenéuticos para entender con mayor profundidad la más importante de nuestras diásporas.

¡Enhorabuena!

Después de los 500 años, ¿qué?*

Ninguna época ha producido mitos del intelecto tan ágilmente como la nuestra, que produce mitos justamente por el afán de exterminar todos los mitos.

Søren Kierkegaard

La conmemoración del quinto centenario del evento que tradicionalmente se le llama "descubrimiento de América" provocó, junto a celebraciones laudatorias y eventos artísticos epopéyicos, una polifonía de reflexiones críticas sobre la historia de nuestros pueblos, sus dolorosos encuentros con las durezas amargas de la historia y sus esperanzas, siempre indómitas, de futuros distintos. Se convirtió en ocasión importante de debate sobre los orígenes y destinos posibles de la cultura hispanoamericana.

En algunos lugares, como Puerto Rico, la efeméride se hizo más extensa, al conmemorarse en 1493 el medio milenio del descubrimiento insular. Las actividades de recordación no estuvieron exentas de celebraciones del triunfo de invasores poderosos en armas bélicas y en tradiciones religiosas avasalladoras. Tampoco faltó el litigio inconcluso sobre asuntos que sirven de perenne diversión, en el sentido que Blaise Pascal daba a este vocablo, como el lugar exacto de las costas puertorriqueñas en las que atracó la armada colombina en noviembre de 1493,[1] o si Martín

---

* Versiones previas se leyeron a la Asociación para la Educación Teológica Hispana, el 4 de agosto de 1994, en el Instituto Bíblico Latinoamericano, en La Puente, California, y a la Asamblea Regional de la Gran Colombia y el Caribe del Consejo Latinoamericano de Iglesias, el 25 de agosto de 1994, en La Habana, Cuba.

[1] Cf. Ricardo Alegría, "Nueva luz sobre el segundo viaje", *Revista Domingo* de *El Nuevo Día*, 14 de noviembre de 1993, 15-16.

Alonso Pinzón, como es probable, ya había arribado a esos lares en diciembre de 1492, cuando, al mando de la Pinta, se separó durante varias semanas de los otros dos navíos.[2] Ni, de más está decirlo, nos libramos de la mitología del patriotismo colonial, expresado en el himno patrio puertorriqueño, según el cual Cristóbal Colón, quien en realidad nunca mostró demasiado interés por Boriquén, quedó estupefacto al llegar a sus playas, constituyendo su exclamación admirativa ("exclamó lleno de admiración") el inicio absoluto de la historia humana insular. Todo lo anterior a la llegada del europeo cristiano blanco queda relegado a la prehistoria, al preámbulo de la auténtica historicidad, al preludio de la humanización de la tierra.[3]

Las elegías, las minucias y la referencias míticas eran de esperarse. La sorpresa agradable es que no monopolizaron la memoria colectiva, ni la dominaron en todo momento. El recuerdo crítico y reflexivo, la negativa a ceder a la tentación del cinismo histórico del darwinismo social —"la historia es siempre el dominio de los débiles por los fuertes"— se hizo presente de múltiples maneras con pugnacidad admirable. El reto del historiador chileno

[2] Cf. Adam Szászdi, "El descubrimiento de Puerto Rico en 1492 por Martin Alonso Pinzón", *Revista de historia* 1.2 (julio-diciembre 1985): 9-45.

[3] Francisco Scarano, *Puerto Rico: Cinco siglos de historia* (Bogotá: McGraw-Hill, 1993) 36: "La historia de Puerto Rico comprende apenas unos 500 años. Se inicia en el momento que los españoles pisan nuestro suelo por primera vez y empiezan a escribir... Antes de que comenzara esa parte de nuestro pasado que ha dejado huellas escritas, hubo un período de ocupación humana... [una] larga era de la prehistoria...". En un viejo trabajo sobre Juan Ponce de León, los hermanos Perea dan muestra eminente de lo que he llamado "mitología del patriotismo colonial" y su confusión entre historiografía y hagiografía al convertir a ese aventurero en "la figura inicial" de la historia nuestro pueblo, aquel que introduce en Puerto Rico "las dos columnas luminarias de su edificio: el cristianismo y la hispanidad". Es la metamorfosis de Ponce de León en el mito fundacional, como figura cimera de un nacionalismo que enarbola paradójicamente símbolos foráneos (Ponce de León nace y muere fuera de la isla) como banderas de lucha contra la asimilación cultural a la nueva nación dominante —los Estados Unidos— veladamente referida como "las sendas materialistas de la civilización neopagana donde naufragan los altos principios y los conceptos elevados que ennoblecen la vida". Juan Augusto y Salvador Perea, "La obra colonizadora de Juan Ponce de León", *Brújula* 2.7-8 (julio-diciembre de 1936): 191-193.

Fernando Mires —"invertir la celebración y convertirla en una fecha de meditación es... un deber ético"—[4] no se desatendió. Por todo el mundo hispanoamericano, incluyendo a España, la efemérides se convirtió en motivo de reflexión sobre lo acontecido y, tan importante como eso, sobre las voces disidentes y rebeldes que plantearon alternativas de cauce para ese monumental encuentro de pueblos y culturas.

La propuesta del filósofo Ernst Bloch, de considerar a los insurrectos anabautistas alemanes del siglo dieciséis como la memoria suprimida, pero no aniquilada, cuyo análisis plantea una auténtica alternativa de autocomprensión para Alemania,[5] se asumió como paradigma hermenéutico por un nutrido grupo de escritores respecto al siglo dieciséis iberoamericano, buscando en los proyectos suprimidos las bases para una nueva autoconciencia americana. Superar lo que Arcadio Díaz Quiñones ha llamado la "política del olvido" de una "historia llena de silencios y ocultamientos",[6] se convirtió en urgencia laboriosa para una pléyade de organizaciones populares e intelectuales vinculadas a los afanes populares.

Varios factores propiciaron este ambiente crítico. Primero, la publicación de un gran número de obras de la época de la conquista que habían permanecido inéditas o eran asequibles sólo en ediciones agotadas y de poca circulación. Muchas habían quedado ocultas o en difícil acceso como resultado justamente de esa "política del olvido" a la que hemos aludido. Su introducción al horizonte intelectual no podía menos que alterar las ópticas hermenéuticas posibles y los paradigmas de comprensión. Ejemplo notable es la obra de Felipe Guamán Poma de Ayala, *El primer nueva corónica y buen gobierno*, cuyo redescubrimiento y publicación en este siglo, como ha demostrado en muy sagaces trabajos

---

4 *En nombre de la cruz: discusiones teológicas y políticas frente al holocausto de los indios (período de conquista)* (San José: Departamento Ecuménico de Investigaciones, 1986) 13.

5 Ernst Bloch, *Thomas Münzer, teólogo de la revolución* (Madrid: Editorial Ciencia Nueva, 1968).

6 Arcadio Díaz Quiñones, *La memoria rota: ensayos sobre cultura y política* (Río Piedras: Ediciones Huracán, 1993).

Mercedes López Baralt, ha alterado nuestra visión gráfica de la conquista.[7] Poma de Ayala, gracias al dramatismo de sus dibujos y al audaz lenguaje mestizo que los acompaña, ha condicionado la iconografía del nacimiento de Hispanoamérica de forma similar a como lo hiciese a fines del siglo dieciséis y principios del diecisiete Teodoro De Bry con sus grabados (incluidos en su enciclopédica *Collectiones peregrinationum in Indiam orientalem et Indiam occidentalem*).

En segundo lugar, la liberación de los centros universitarios españoles de la herencia del nacionalismo franquista permitió a los estudiosos peninsulares enfrentarse al descubrimiento y la conquista sin las camisas de fuerza de la apología imperial. Compárese, a manera de ejemplo, el impugnador tratamiento recibido por Bartolomé de las Casas a manos de Ramón Menéndez Pidal,[8] en el libro cáustico que éste le dedicó en las postrimerías de su vida, con las obras, henchidas de reverente erudición, del dominico español Isacio Pérez Fernández sobre el polémico obispo de Chiapas.[9] Para las nuevas generaciones de estudiosos españoles parece estar claro que intentar flagelar a Las Casas tildándole de anti-español sería como imputarle anti-semitismo a Isaías, Jeremías o Amós. Por intuir ello, la corte de Carlos V no accedió a los intentos del "cronista de corte", Juan Ginés de Sepúlveda, o de algunos franciscanos aliados de Hernán Cortés, como fray Toribio de Benavente (Motolinia), de silenciar y disciplinar al díscolo dominico. A corto plazo fue más efectiva la política del silencio y los olvidos de Felipe II, pero la paradoja es que la España actual, libre de ataduras anacrónicas, descubre en los afanes proféticos de Las Casas lo más noble y profundo de la épica decimosexta.

---

[7] Felipe Guamán Poma de Ayala, *El primer nueva corónica y buen gobierno* (México, D.F.: Siglo XXI, 1980, 1988); Mercedes López Baralt, *Icono y conquista: Guamán Poma de Ayala* (Madrid: Ediciones Hiperión, 1988).

[8] Ramón Menéndez Pidal, *El padre Las Casas, su doble personalidad* (Madrid: Espasa Calpe, 1963).

[9] Isacio Pérez Fernández, *Inventario documentado de los escritos de Fray Bartolomé de las Casas* (Bayamón, Puerto Rico: CEDOC, 1981); y, *Cronología documentada de los viajes, estancias y actuaciones de Fray Bartolomé de las Casas* (Bayamón, Puerto Rico: CEDOC, 1984).

El dilema del profetismo y el patriotismo es antiguo y se renueva cada generación. En el siglo dieciséis español, ese dilema de conciencia forjó en el humanista cortesano Juan Ginés de Sepúlveda a un lúcido glorificador de las gestas nacionales, en el teólogo de escuela Francisco de Vitoria al genial teórico de las justificaciones del imperialismo moderno y en el obispo Bartolomé de Las Casas al acérrimo adversario de las ideologías sacralizadoras de la opresión europea de América. Es una polifonía de contrapunto y disonancia que resiste los intentos simples de armonización.

Edward W. Said ha escrito que en la cultura literaria británica "hubo casi total unanimidad en la proposición de que las razas dominadas debían ser regidas [por Inglaterra], *justo por ser razas a dominarse...*".[10] Las más de cinco décadas (1514-1566) de abundante producción literaria de Bartolomé de las Casas hace imposible decir lo mismo respecto a la conquista española de América. Pocos lectores, permítaseme una anotación estilística, han notado que el constante uso de la ironía por Las Casas en su *Historia de las Indias* sirve de hábil estrategia desacralizadora de las pretensiones hispanas de superioridad étnica y cultural. Mérito, dicho sea de paso, es del intelectual costarricense Juan Durán Luzio haber escrito un sugerente ensayo sobre el papel crucial de la ironía en la *Historia de las Indias* de Las Casas.[11]

La atención conferida a Las Casas ilustra un tercer elemento: una nueva sensibilidad que evade la sacralización de los poderes establecidos. Los libros de Héctor Díaz-Polanco, Enrique Dussel, Giulio Girardi, Stephen Greenblatt, Gustavo Gutiérrez, Lewis Hanke, Peter Hulme, Djelal Kadir, Martin Lienhard, Beatriz Pastor, Jalil Sued Badillo y Tzvetan Todorov, entre otros, reflejan esa renuencia a legitimar la moralidad de los poderosos. Se desarrolla un escrutinio crítico de los textos, que se ha llamado, asumiendo una actitud propia de las novelas detectivescas, "hermenéutica de

---

10 *Culture and Imperialism* (New York: Alfred A. Knopf, 1993) 53.

11 *"Historia de las Indias* —Las razones de una larga espera: De la crónica a la ironía", en su libro *Bartolomé de las Casas ante la conquista de América. Las voces del historiador* (Heredia, Costa Rica: Universidad Nacional, 1992) 175-222.

la sospecha".[12] Las obras iconoclastas de escritores y literatos como el cubano Alejo Carpentier, el venezolano Miguel Otero Silva y el mexicano Carlos Fuentes,[13] igual que el tratamiento de los eventos en cuestión en el nuevo cine latinoamericano, se inscriben en esa misma trayectoria crítica, con la ventaja adicional de poder sugerir modos alternos de interpretación simbólica. En buena medida, es el reflejo historiográfico del ocaso del colonialismo clásico europeo y de la crisis intelectual del eurocentrismo.

Esta nueva perspectiva intelectual no conlleva necesariamente la negación absoluta de las tradiciones propias: del seno de la cristiandad occidental infiere Las Casas el predominio de la palabra profética y al encarnarla imparte auténtica continuidad al linaje profético. Lo que sí implica es el dejar de lado la separación tradicional entre "pueblos civilizados", con sus prerrogativas y privilegios de dominio, y "pueblos atrasados", destinados a someterse al arbitrio de los primeros, lo que Said ha llamado "la distinción ontológica fundamental entre Occidente y el resto del mundo...".[14] Esa postura, que perdura en intelectuales metropolitanos décadas después de haberse disuelto el imperio, como es el caso de Ramón Menéndez Pidal —"Todos los pueblos son iguales en cuanto a los derechos sagrados de su personal dignidad, pero son muy desiguales en cuanto a su capacidad mental, y los pueblos más inventivos, que impulsan la civilización, son muy distintos de los que la reciben, y muy distintos también los derechos y los deberes de los unos y los otros"—[15] y que asoma incluso en pensadores liberales como John Stuart Mill —"Los deberes sagrados de respeto a la independencia y nacionalidad recíprocas que vinculan a los pueblos civilizados, no rigen respecto a aquellos pueblos para quienes la independencia y la nacionalidad son males ciertos o, al

---

[12] Said, *Culture and Imperialism* 255.

[13] Alejo Carpentier, *El arpa y la sombra* (13ra. ed.) (México, D.F.: Siglo XXI, 1989); Miguel Otero Silva, *Lope de Aguirre, príncipe de la libertad* (4a. ed.) (Barcelona: Seix Barral, 1980); Carlos Fuentes, *El naranjo o los círculos del tiempo* (México, D.F.: Alfaguara, 1993).

[14] *Culture and Imperialism* 108.

[15] *El padre Las Casas* 385.

menos, bienes dudosos"—[16] muestra hoy con claridad innegable sus pies de barro.

Compárese la sensibilidad al costo humano de la conquista de América —los sistemas de trabajo servil, la desaparición de pueblos enteros, el quebrantamiento de tradiciones culturales multiseculares— de los escritores aludidos con la relativa ausencia de empatía ética con los suprimidos y subyugados en obras de innegable valor académico de previas generaciones historiográficas. Mencionemos sólo dos ejemplos de esta tradicional distancia afectiva del dolor de los conquistados (irónicamente ambas proceden de la pluma de sacerdotes, dominico el primero, benedictino el segundo):

a. Venancio Diego Carro, *La teología y los teólogos-juristas españoles ante la conquista de América*,[17] obra indispensable para el estudio del tema, pero que no permite el espacio necesario para que aflore la tragedia de las comunidades nativas objeto de los debates teológicos y jurídicos españoles del siglo dieciséis;

b. Charles-Martial de Witte, *Les bulles pontificales et l'expansion portugaise au XVe siècle*,[18] de referencia ineludible para los interesados en la inserción conquistadora europea en África, pero que procede como si de ella no hubiese salido el más extraordinario tráfico intercontinental esclavista de la historia. De Witte establece, al inicio de su largo trabajo, un principio historiográfico que considera fundamental: "Pas de chronologie, pas d'histoire!".[19] Su esfuerzo de ubicar cronológicamente casi setenta bulas papales relacionadas con las aventuras ultramarinas africanas de Portugal en el siglo quince es excelente. Sólo que el estudio carece de profundidad en la discusión sobre los horizontes ideológicos, teológicos y teóricos de esos pronunciamientos de la máxima

---

16 John Stuart Mill, *Disquisitions and Discussions*, vol. 3 (London: Longmans, Green, Reader & Dyer, 1875) 167-168. Citado por Said, *Culture and Imperialism* 80.

17 (Madrid: Escuela de Estudios Hispano-Americanos de la Universidad de Sevilla, 1944, 2 volúmenes).

18 *Revue d'histoire ecclésiastique* 48 (1953): 683-718; 49 (1954): 438-461; 51 (1956): 413-453 y 809-836; 53 (1958): 5-46 y 443-471.

19 *Revue d'histoire ecclésiastique* 48 (1953): 684.

autoridad eclesiástica de la época. Podríamos, por ende, afincar otro principio historiográfico crucial algo descuidado por De Witte: "Pas de théorie, pas d'histoire!".

Esta nueva sensibilidad a la confrontación entre distintos proyectos de vida histórica que significó el llamado "encuentro de dos mundos", ha permitido, en cuarto lugar, captar distintos niveles de violencia espiritual de parte de los europeos cristianos contra los nativos americanos. En primera instancia, como he insistido en otras ocasiones, se recalca el acto simbólico de toma de posesión que sucede generalmente en el primer momento de llegada —"yo fallé muy muchas islas pobladas con gente sin número, y d'ellas todas he tomado posesión por sus altezas"—[20] que tendrá traumáticas consecuencias para los nativos, tanto para su vida cultural como para su existencia física. La toma de posesión simbólica preludia una invasión integral: nuevas divinidades y nuevos microbios obligarán a los nativos a cambiar drásticamente su modo de existir hasta llegar, en no pocas instancias, a dejar de existir.

El acto simbólico de toma de posesión se profundiza con el bautismo de las tierras: "a la primera que yo fallé puse el nonbre Sant Salvador... los indios la llaman Guanahaní...". Los habitantes pierden el derecho de nombrar sus tierras; los que llegan se arrogan el derecho exclusivo, adánico, de nominar las cosas. Pierden los nativos hasta el derecho de definir la geografía de sus tierras. Una de las primeras cosas que hace Colón en su segunda expedición es certificar, fuera de toda duda, que Cuba (la llamaba Juana, en honor al príncipe heredero de la corona castellana) es península, parte de la tierra firme asiática, no ínsula. Claro que los nativos dicen que es una isla, pero ¿quién hace caso de "gente desnuda que no tiene bienes propios... no tienen ley ni seta alguna, salvo nacer morir, ni tienen ninguna policia porque puedan saber del mundo...".[21]

---

[20] Cristóbal Colón, *Textos y documentos completos: relaciones de viajes, cartas y memoriales*, Consuelo Varela, ed. (Madrid: Alianza Editorial, 1982) 140. Cf. Stephen Greenblatt, *Marvelous Possessions: The Wonder of the New World* (Chicago: University of Chicago Press, 1991).

[21] Declaración jurada del 12 de junio de 1494, en Martín Fernández de Navarrete, *Colección de los viages y descubrimientos que hicieron por mar los españoles desde fines del siglo XV*, t.II (Buenos Aires: Editorial Guaranía, 1945) 172-173.

Son los europeos cristianos los que tienen el derecho exclusivo de poseer, nombrar y definir. Ese monopolio, afirmado inicialmente de manera simbólica y literaria, que parece discurrir pacíficamente, sin muertos ni sangre, es un acto de violencia ontológica que permitirá y, más aún, legitimará las acciones bélicas, las que no tardarán en azotar a los nativos. El quinto centenario privilegió una concentración intensa de la mirada teórica hacia esa violencia primigenia, fundamental. Hay, sin embargo, una importante mediación entre los actos simbólicos —toma de posesión, nombrar las tierras, definir el espacio— y la violencia bélica: la translación del primero a escritura oficial. La posesión de unas tradiciones escriturarias, inicialmente relacionadas con las escrituras sagradas y luego con los documentos jurídicos del estado, otorga a los europeos un poder inesperado para la mirada de los nativos. De cristalización de unos actos simbólicos se tornan los textos fundacionales de la conquista, mediante peculiar metamorfosis, en fuentes de derecho, sobre todo de derecho bélico. La discusión, por tanto, acerca de los textos como pretextos y contextos, de la hermenéutica de las escrituras se convierte, en lectores alertas como Lienhard, Todorov y de Certeau en tema crucial.[22]

El rechazo al patético papel de "cronista de corte" por parte de muchos intérpretes de la conquista ha conllevado, en quinto lugar, la revaloración de los vencidos, los nativos, su cultura, su resistencia y su protagonismo heroico. Autores como Miguel León Portilla,[23] en el área mesoamericana, y José María Arguedas,[24] en la región andina, han germinado una literatura indigenista que no se limita a la denuncia ni, menos aún, a la lamentación nostálgica,

---

[22] Martin Lienhard, *La voz y su huella: escritura y conflicto étnico-social en América Latina (1492-1988)* (La Habana: Casa de las Américas, 1990); Tzvetan Todorov, *La conquista de América: la cuestión del otro* (México, D.F.: Siglo XXI, 1987) 59-136; Michel de Certeau, *The Writing of History* (New York: Columbia University Press, 1988) 209-241.

[23] Entre ellas las más leídas son *El reverso de la conquista: relaciones aztecas, mayas e incas*, 16a. reimpr. (México, D.F.: Editorial Joaquín Moritz, 1987) y *La visión de los vencidos. Relaciones indígenas de la conquista* (22a. ed. revisada y enriquecida) (México, D.F.: Universidad Nacional Autónoma de México, 1989).

[24] *Obras completas* (Lima: Horizonte, 1983). Sobre Arguedas, son sugestivas las observaciones de Lienhard, *La voz y su huella* 348-355.

sino que une la escolaridad seria con la determinación de abrir
vías para la solidaridad con las tradiciones autóctonas de resistencia. Hatuey no Diego Velázquez, Agüeybana no Juan Ponce de
León, Cuauhtémoc no Hernán Cortés, Lautaro no Pedro de
Valdivia, Manco Inca no Francisco Pizarro, se acogieron preferen-
temente por la inteligencia renovadora que aspira a vincular, por
una parte, la confrontación con un pasado no desfigurado por la
mitología del triunfalismo imperial y, por la otra, la búsqueda de
alternativas históricas de mayor justicia.[25] Como ha indicado
Edward Said, aunque su referencia inmediata sea al imperialismo
de los siglos diecinueve y veinte, la cultura del invasor despierta
ineluctablemente la resistencia tenaz, también al nivel de las producciones simbólicas, de los nativos.[26] El reconocimiento de esa
resistencia suscita en los estudiosos de nuevo cuño una actitud
referencial distinta frente a los textos, los impulsa a lo que Michel
de Certeau ha llamado una "hermenéutica de la alteridad",[27] un
intento de comprender, y respetar, al otro en su carácter diferen-
cial, en su alteridad. Incluso los pueblos más vilipendiados y de-
gradados por los europeos, como es el caso de los caribes antillanos, a quien José de Acosta llamó, en el siglo dieciséis, "salvajes
semejantes a fieras... siempre sedientos de sangre..."[28] encuentran

---

[25] Algo similar ha ocurrido en los últimos años en los Estados Unidos, en
donde una nueva historiografía, expresada en una avalancha de publicaciones, se ha lanzado a la tarea de desmantelar la mitología nacional del Oeste
develando la enorme y cruel violencia que la joven república norteamericana
lanzó contra las comunidades indígenas. Con la veloz conexión que en ese país
existe entre el estudio y la difusión masiva, esa nueva visión ha logrado
proyectarse en el cine y la televisión. Aun en una película que deja mucho que
desear, como *Gerónimo*, este líder de la resistencia nativa sale mejor parado
que el General Nelson A. Miles. Esta visión revisionista motivó un debate
importante a partir de una exposición sobre el Oeste estadounidense y su
conquista, en 1991, en la National Gallery of American Art, en Washington,
D.C. Cf. William H. Truettner (ed.), *The West as America: Reinterpreting Images
of the Frontier, 1820-1970* (Washington, D.C.: Smithsonian Institution Press,
1991).

[26] *Culture and Imperialism* xii.

[27] *The Writing of History* 218-226.

[28] José de Acosta, *De procuranda indorum salute* (1589) (Madrid: Consejo
Superior de Investigaciones Científicas, 1952) 47.

en Peter Hulme y Jalil Sued Badillo[29] investigadores dispuestos a revaluar los procesos históricos desde la perspectiva de los condenados por la retórica ideológica tradicional.

Ese desdoblamiento interior, mediante el cual el estudioso logra identificarse con el otro, en su diferencia irrevocable, en su alteridad inviolable, suscita su empatía con los vencidos, con los pueblos autóctonos. Se sigue así, en otro nivel de solidaridad, la tradición de aquel Gonzalo Guerrero, español capturado en 1511 por indios mexicanos, quien al enterarse de nuevas expediciones ibéricas se negó a retornar a ellas, integrándose, por el contrario, a la resistencia armada de su pueblo adoptado contra la invasión europea.[30]

Esta nueva estimación de lo nativo, por último, ha suscitado una mirada distinta al mestizaje. El mestizo era tradicionalmente un ser ambiguo, fronterizo, al margen de los mundos culturales de su padre (generalmente blanco) y su madre (generalmente india o negra). Era, según la obra clásica de Octavio Paz, el "hijo de la Malinche", o con mayor fuerza gráfica, "el hijo de la chingada",[31] un desterrado étnico, exiliado de las lealtades comunales, un menospreciado social.[32] En 1567 un funcionario del virreinato de Perú, el licenciado Castro, expresa en una misiva a Felipe II la preocupación que muchos blancos y peninsulares sentían ante el aumento de los mestizos y sugiere una medida preventiva: "Hay tantos mestizos en estos reinos, y nacen cada hora, que es menester que Vuestra Majestad mande enviar cédula que ningún mestizo ni mulato pueda traer arma alguna... so pena de muerte, porque esta es una gente que andando el tiempo ha de ser muy

[29] Peter Hulme, *Colonial Encounters: Europe and the Native Caribbean, 1492-1797* (London-New York: Methuen, 1986); Jalil Sued Badillo, *Los caribes: realidad o fábula. Ensayo de rectificación histórica* (Río Piedras: Editorial Antillana, 1978).

[30] Cf. Bernal Díaz del Castillo, *Historia de la verdadera conquista de la Nueva España* (14a. ed.) (México, D.F.: Editorial Porrúa, 1986), cc. 27 y 29, pp. 43-44, 47.

[31] *El laberinto de la soledad* (16a. reimpr. de la 2da. ed. revisada) (México, D.F.: Fondo de Cultura Económica, 1987) 67-80.

[32] Cf. Alejandro Lipschutz, *El problema racial en la conquista de América y el mestizaje* (2a. ed.) (Santiago de Chile: Editorial Andrés Bello, 1967) 285-343.

peligrosa y muy perniciosa en esta tierra".[33] La ambigüedad étnica se agravaba, sin duda, por ser muchos mestizos hijos de relaciones extra-maritales, fuera de la validación sacramental. La minus-valoración de la hibridez racial se expresaba en las clasificaciones raciales o de castas, con sus nombres pintorescos que en el fondo indicaban que la blancura ocupaba el lugar superior de la escala étnica. Incluso desde la perspectiva de los pueblos nativos que han intentado preservar su cultura autóctona, el mestizo era tildado de "ladino", con la doble acepción común del término —aquel que asume la cultura y la lengua de los blancos y que es un taimado. Todavía en el emotivo relato que hace Rigoberta Menchú del vía crucis de su pueblo quiché, el mestizo es el ladino en este sentido negativo: "Los ladinos son los mestizos, hijos de españoles y de indígenas, que hablan castellano... y a los indígenas se les conside-ran como una clase de animales... Los mestizos tratan de sacarse esa concha de ser hijos de indígenas y de españoles... no quieren ser mezclados... Por más que vivan en las peores condiciones se sienten ladinos... es no ser indígena".[34]

El mestizaje, sin embargo, recibe ahora una nueva aprecia-ción, la cual, en el mundo de confusiones étnicas hispano-norte-americanas, se identifica con las obras sobre religiosidad popular de Virgilio Elizondo,[35] y se manifiesta en los cuadros de pintores como Amado Maurilio Peña, hijo. Carlos Fuentes, en uno de sus más recientes relatos, ha profundizado en la relación, plena de resentimiento y recelo, entre los dos hijos de Hernán Cortés, lla-mados Martín; uno, el mayor, fruto bastardo y mestizo en 1527 de las noches de placer con Marina/Malinche, legitimado por bula papal en 1529, y otro, segundo en nacer, en 1532, pero, por ser

---

[33] Citado en Alejandro Lipschutz, *El problema racial* 303.

[34] Rigoberta Menchú y Elizabeth Burgos, *Me llamo Rigoberta Menchú y así me nació la conciencia* (10a. ed.) (México, D.F: Siglo XXI, 1994) 193. En un momento de reflexión, admite que "después nos dimos cuenta que no todos los ladinos son malos". Menchú, *Me llamo* 46. Sobre el ladino latinoamericano, cf. Helio Gallardo, "Fenomenología del ladino de mierda", en el libro del mismo autor, *500 años: fenomenología del mestizo (violencia y resistencia)* (San José: Departamento Ecuménico de Investigaciones, 1993) 111-173.

[35] *The Future is Mestizo: Life Where Cultures Meet* (New York: Crossroad, 1992).

engendrado en matrimonio sacramental con española, heredero del título nobiliario y de las principales propiedades de su padre.[36] Síntoma de la nueva mirada al mestizaje es que es el Martín hijo de la Malinche indígena, no el Martín hijo de la peninsular blanca, el personaje más pulido y logrado en la obra, tanto en sus amargas rebeldías interiores —"Cabrón Jesús, rey de putos, tú conquistaste al pueblo de mi madre con el goce pervertido de tus clavos fálicos, tu semen avinagrado, las lanzas que te penetran y los humores que destilas. ¿Cómo reconquistarte a ti?"—[37] como en su final identificación vicaria con el pueblo mexicano:

> Madre... te agradezco mi piel morena, mis ojos líquidos, mi cabellera como crin de los caballos de mi padre, mi pubis escaso, mi estatura corta, mi voz cantarina, mis palabras contadas, mis diminutivos y mis mentadas, mi sueño más largo que la vida, mi memoria en vilo, mi satisfacción disfrazada de resignación, mis ganas de creer, mi anhelo de paternidad, mi perdida efigie en medio de la marea humana prieta y sojuzgada como yo: soy la mayoría.[38]

Como parte de esta nueva apreciación del mestizaje, el tema, central sobre todo para el pueblo mexicano, de la Virgen de la Guadalupe recibe un tratamiento renovado. La Guadalupe, símbolo anticipatorio de la evolución de la conciencia nacional mexicana criolla, de acuerdo a la excelente obra de Jacques Lafaye,[39] se transmuta ahora en emblema de la exaltación de los humildes, de los indígenas, considerada desde la perspectiva de los desposeídos. Es una virgen mestiza, que conjuga híbridamente las tradiciones del pueblo humilde nahua y los elementos salvíficos del *magníficat* mariológico. La protectora de los humildes es también mujer, lo que a su vez promueve un vínculo reflexivo sobre el

---

[36] "Los hijos del conquistador", en *El naranjo, o los círculos del tiempo* 61-113.

[37] Carlos Fuentes, *El naranjo* 89.

[38] Carlos Fuentes, *El naranjo* 111.

[39] *Quetzalcóatl et Guadalupe: La formation de la conscience nationale au Mexique* (Paris: Gallimard, 1974); tr. al inglés *Quetzalcóatl and Guadalupe: The Formation of Mexican National Consciousness, 1531-1813* (Chicago: The University of Chicago Press, 1976); tr. al español *Quetzalcóatl y Guadalupe: la formación de la conciencia nacional mexicana, 1531-1813* (México, D.F.: Fondo de Cultura Económica, 1977).

mestizaje y el feminismo, como lo muestra la obra reciente de Jeanette Rodríguez.[40]

Como se ve, las reflexiones críticas sobre el quinto centenario culminaron en un intento plural y complejo de conjugar el anhelo de conocimiento con la sed de justicia. Los peligros de unir un proyecto de estudio riguroso con un programa de justicia reivindicadora son muchos y sinuosos. En aras del primero puede postergarse indefinidamente las urgencias de justicia; en aras del segundo pueden sacrificarse las exigencias académicas del trabajo intelectual. Pero sólo quien se atreve a seguir el reclamo de Ernst Bloch de conjugar una cabeza fría con un corazón ardiente será capaz de hacer una contribución de perdurable valor en asuntos de esta naturaleza. Hay objetos de estudio que además de reclamar el análisis erudito de acuerdo a los más estrictos criterios científicos se convierten en *cris de coeur* para quienes poseen sensibilidad ética y afectiva. Con todos sus posibles errores, ese sendero es preferible al cinismo darwinista, escriba oficial de los imperios, actuales o pretéritos.

El premio Nóbel de la paz conferido a Rigoberta Menchú demuestra la continuidad del sufrimiento de los pueblos autóctonos de América y la pertinencia de la denuncia ilustrada. El reto en toda América es elaborar un concepto de nación que incluya a los marginados, muchos de los cuales pertenecen a pueblos milenarios. En sus memorias, Rigoberta Menchú, indígena quiché, expresa la conciencia de su pueblo al referirse a la efeméride de la independencia guatemalteca: "El día de la fiesta de la Independencia de Guatemala, tampoco lo celebramos, porque precisamente para nosotros eso no es una fiesta. Nosotros lo consideramos como una fiesta de los ladinos, pues la independencia, como le llaman, para nosotros no significa nada, significa más dolor, significa que tenemos que hacer grandes esfuerzos para no perder nuestra cultura".[41]

Se trata, pues, de superar la triste paradoja de la Declaración de Independencia norteamericana, la cual tras enarbolar la

[40] *Our Lady of Guadalupe: Faith and Empowerment Among Mexican-American Women* (Austin, TX: University of Texas Press, 1994).

[41] *Me llamo Rigoberta Menchú* 230.

consigna de la liberación nacional procede a macularla con su repudio a los "crueles indios salvajes" ("merciless Indian savages"), siniestra amenaza a los pueblos autóctonos que la joven república procederá a cumplir cruelmente con sus implacables *Indian wars*. La Declaración de Independencia proyecta en los pueblos autóctonos lo que será la política militar de la república norteamericana contra ellos: "...cuya conocida ley de guerra es la destrucción del contrario...".[42]

Enrique Dussel ha reivindicado la importancia histórica y global del descubrimiento, la conquista de América y los intensos debates que los acompañaron, en la formación de la modernidad.[43] Junto a la invención de la imprenta y la toma de Constantinopla, el descubrimiento de América integra la trinidad de acontecimientos que propulsaron la época de la modernidad, el tiempo de la hegemonía mundial de Europa. Añadamos que como toda gran era histórica provocó también una confrontación épica entre mitos y dioses. El reprimido relato de Bernardino de Sahagún de la confrontación entre los misioneros franciscanos y los sabios mexicas revela dramáticamente la victoria de unos dioses sobre otros, el triunfo de unos mitos sobre otros.[44] La pugna contra los dioses y los mitos de la tierra se hace en nombre del Dios y los mitos del cielo. Ilustra esto bien la verdad de la cita de Søren Kierkegaard que inicia este texto: "Ninguna época ha producido mitos del intelecto tan ágilmente como la nuestra [la modernidad] que produce mitos justamente por el afán de exterminar todos los mitos".[45]

---

[42] "The Declaration of Independence," en Vincent Wilson, Jr. (ed.), *The Book of Great American Documents* (Brookeville, MA: American History Research Associates, 1982) 17.

[43] Enrique Dussel, *1492: El encubrimiento del otro. (Hacia el origen del "mito de la modernidad"* (Santafé de Bogotá, Colombia: Ediciones Antropos, 1992). El libro, que se ha publicado en varios idiomas, procede de unas conferencias que sobre el tema diese el autor a fines de 1992, en la Universidad Johann Wolfgang Goethe, en Frankfurt, Alemania.

[44] Se reproduce en Christian Duverger, *La conversión de los indios de la Nueva España. Con el texto de los "Coloquios de los Doce" de Bernardino de Sahagún* (Quito: Ediciones Abya Yala, 1990).

[45] Søren Kierkegaard, *El concepto de la angustia* (1844) (Buenos Aires: Espasa-Calpe Argentina, 1940) 49.

114

Falta en Hispanoamérica, sea dicho en el margen, una buena
literatura, conjugadora de historia y ficción, sobre la "lucha de los
dioses" entre los misioneros cristianos y las religiones aborígenes,
una pugna entre mitos, entre meta-narrativas sagradas, que culmina con la ruptura de las tradiciones cúlticas nativas, asestándose
así una herida profunda a su cultura. Por la íntima relación entre
culto y cultura, no puede menospreciarse al primero sin lesionar
la segunda. Esto es lo que ejemplarmente ha narrado el escritor
nigeriano Chinua Achebe sobre el encuentro entre los evangelistas
ingleses y la tradición africana de los pueblos Ibo en varias de sus
obras, entre ellas *Things Fall Apart* y *Arrow of God*.[46]

La discusión sobre el descubrimiento y la modernidad no puede descuidar el predominio de los símbolos, imágenes y conceptos
religiosos en la imaginería social de la conquista de América, asunto al que he dedicado un volumen bastante grueso y abarcador[47] el
cual ya ha andado muchas veredas y tolerado la mirilla del escrutinio de muchos lectores críticos.[48] La paradoja del nacimiento de la

---

[46]   *Things Fall Apart* (New York: Fawcett Crest, 1984); *Arrow of God* (New
York: Anchor Books, 1974).

[47]   Luis N. Rivera Pagán, *Evangelización y violencia: la conquista de América*
(San Juan: Ediciones Cemí, 1990, 1991 y 1992); *A Violent Evangelism: The
Political and Religious Conquest of the Americas* (Louisville, Kentucky: Westminster/
John Knox Press, 1992).

[48]   Contienen observaciones favorables al libro las siguientes obras: Fernando Benítez, *1992, ¿Qué celebramos? ¿Qué lamentamos?* (México, D.F.: Ediciones Era, 1992); Héctor Díaz Polanco, *Autonomía regional: la autodeterminación de los pueblos indios* (México, D. F: Siglo XXI, 1991); Enrique Dussel, *1492:
El encubrimiento del otro. (Hacia el origen del "mito de la modernidad")*; Helio
Gallardo, *500 años: fenomenología del mestizo (violencia y resistencia)* (San José,
Costa Rica: DEI, 1993); y, Giulio Girardi, *La conquista, ¿con qué derecho?* (Madrid: Editorial Nueva Utopía, 1992). Además han hecho recensiones positivas,
entre otros, Gilbert R. Cruz, *The Western Historical Quarterly* 24 (August 1993):
406-407; Justo L. González, *New World Outlook* 81.5 (September-October,
1991): 44; H. McKennie Goodpasture, *Interpretation* 48.3 (July, 1994): 326;
Manfred Kerkhoff, *Diálogos* 26.58 (julio de 1991): 181-184; Charles H. Lippy,
The Journal of American History 80.4 (March, 1994): 1428-1429; Laurie F. Maffly-
Kipp, *Religious Studies Review* 20.1 (January 1994): 73-74; Timothy M.
Matovina, *Journal of Hispanic/Latino Theology* 1.3 (May 1994): 80-81; Alan Neely,
The Princeton Seminary Bulletin 15.1 New Series (1994): 81-82; George V. Pixley,
Amanecer (Managua, Nicaragua) 72 (marzo-mayo, 1991): 54-55; Leigh H.
Schmidt, *Church History* 63.1 (March, 1994): 97-98; y Erick E. Villagarán Cas-
tillo, *Vida y pensamiento* (San José, Costa Rica) 11.1 (1991): 77-78.

modernidad es que ésta, desprovista todavía de la plenitud de autoconciencia secular, recurre a fuentes religiosas tradicionales para justificar una época nueva de acumulación capitalista y dominio imperial. Nadie manifiesta mejor esta paradoja que Francisco de Vitoria, quien en su desarrollo teórico del derecho internacional bélico (sus famosas conferencias, no debe olvidarse, tratan de las justificaciones, legítimas o no, de las *guerras* contra los "bárbaros del nuevo mundo, vulgarmente llamados indios") integra argumentaciones tradicionales de la cristiandad medieval con planteamientos de nuevo cuño renacentista. Intenta tasar la expansión de la cristiandad ibérica desde la óptica teológica de Santo Tomás de Aquino, y en el proceso inaugura una justificación moderna para el dominio imperial, que parte del dinamismo mercantil europeo. Es un enlace paradójico presente a través de todo el proceso de incorporación de América al modo de ser europeo, aquello que el estudioso mexicano Edmundo O'Gorman ha llamado la "invención de América".[49]

---

49 Edmundo O'Gorman, *La invención de América* (México, D.F.: Fondo de Cultura Económica, 1984).